U0032230

要成功你必須很故意

跳出框架大膽做夢，小心夢想真的會實現！

作者／子　陽

第三章　個人品牌必修課

第四章　想築夢要先踏實

第五章　愈親近愈要珍重

【序】

我為什麼寫這本書？

為了紀念二〇一八年四月二十八日之後我可能再也見不到的一個朋友！

我願續一半生命給你

二〇一八年四月二十八日，朋友的家人給我打電話，說我的朋友已經過世了。

頓時，如青天霹靂一般，接下來的日子我總是淚流滿面。

我不相信朋友已經過世了，我認為她在世界的某一個角落現在正在安心的養病，她的家人之所以那麼說，是為了讓我能放下，以後有一個新的好的開始吧！

無論如何，「耳聽為虛，眼見為實。」無論朋友是否是胃癌晚期，我都心中永遠保留著一分希望，願她早一日康復！

這些年來，這個朋友對我惺惺相惜，像知己一樣，讓我漂泊的心靈得以找到停靠的港灣。

聽朋友的家人說，她希望我在北京能好好的照顧自己，她很感恩我！我又何嘗不是要謝謝她呢？

這幾年來，她也給予了我很多幫助！

我寧可相信，朋友家人的話是假的。即便朋友患了癌症晚期，我現在身體硬朗，我願意用我一半的生命去補償朋友。也就是說，如果我能活一個月的話，我願意只活半個月，剩下的半個月留給朋友，讓她在這半個月內健健康康、快快樂樂的活著；如果我能活十年，我願意把五年生存的時光交給朋友；如果我能活得很久很久，我願意讓朋友也能活到永遠。

這一段時間，我一直在思考著這個問題：人活著到底是為了什麼？

天災人禍，生命無價！讓我倍加珍惜每一次來之不易！

這一生能遇到對自己好的人已經不容易了，朋友去世的消息，讓我久久不能接受。

要是朋友真的去世了，她會提前幾天告訴我的，為什麼她在這幾天裡，一直沒有正面的答覆我呢？

我想了很久，終於明白了，她是為了我好，為了我能遇到下一位更好的，她才痛定思痛，告訴了我一個不可靠的消息！

我深切的理解朋友的難為，我猜想她現在正在忍受著病痛的折磨，我只願上天能夠保佑她健

康長壽！

人這一生到底是為了什麼？

為名、為利，還是為了其他的？

我發現，人這一生中要追求的很多！

加之，我之前寫了很多與人生的追求有關的，我久久難以平靜，覺得有必要寫一本書了。

《要成功你必須很故意》這本書不光是寄託了我對那位患重病的朋友殷切的希冀，也希望能成為芸芸眾生中能為人們效法的榜樣。

無論如何，人生不可重來，願我們這一生活得無悔、活得意義非凡！

015

【序】

餘生，我累了，也懂了！

人生在世，全憑演技，演得好，就是一部電視劇！

專注做一件事，會有更大成功

最近，經常聽到有人在感慨生命太短暫，不知不覺有了兒女，兒女長大後，要為他們的生活、婚姻出謀劃策，還要照看兒女的孩子……曾是年少時，歲月催人老，一晃，我們這一輩子就可能過去了！

人最怕的是某一天忽然明白某件事情，如，我們曾經不齒的歌曲、不齒的書籍，當我們某一天明白事情的原委時，已經是曲中人、書中人了。

時光不會重來，人生的舞臺就如現場直播。是悲劇，還是喜劇，全憑我們如何過！

我們年少時追求成功，當我們在殘酷的現實面前傷痕累累之後才知道，人生沒有隨隨便便的

成功，不經歷風雨，怎能見彩虹？這一分成功的確來之不易，每一個人都在攀登的過程中，有的人中途倒下了、放棄了，有的人走錯了方向……這些注定和成功無緣。

能成功的總是那麼一小部分的人，尤其是隨著時間的流逝，不被淘汰、流芳千古的更是鳳毛麟角。

人生在世，不求非得要幹出驚天偉業。《鋼鐵是怎樣煉成的》書中有這麼一句話：「當他回首往事的時候，他不會因為虛度年華而悔恨，也不會因為碌碌無為而羞恥。」英國詩人拜倫也說：「寧願轟轟烈烈短命而死，也不願平平庸庸長久而活。」那些能讓人們記住的正面人物，多數是在自己有限的時光中發揮了領頭的作用。

我們一生能做的事情很多，但有一件能改變社會的，甚至是促進人類歷史進程的，則是難於上青天！再難，我們也要去做、去實現。長江後浪推前浪，青出藍而藍於藍，我們會比前輩更優秀、更成功！

如何讓自己不白來這一生呢？我們會漸漸明白，有些人、有些事錯過了就不必留戀，我們不能總是漫無目標。只要你做喜歡的事，把這一件事做到極致，你就是這個行業裡最出類拔萃的人物。

那些「天才」，他們也是在一個行業裡苦苦鑽研，遇到了種種挫折都不放棄，皇天不負苦心人，別人認為不可能的成就，卻在他們日復一日的努力下成為現實。

我們所剩的日子也在一天天減少，我們追求了那麼久、努力了那麼久，也該累了，也該懂了：**專注去做一件事，把所有的才華和精力付諸於此，我們比別人更用心，自然會成為那個領域裡的一把手。**

只要你堅持的方向是無誤的，「天道酬勤」永遠不會太晚！

別再虛度年華了，餘生不長，不屬於自己的沒有必要再強求了。你要找對屬於你的那條路，去走吧，你的人生自然會和別人不一樣，自然會閃放出光芒！

千萬不要以為自己很年輕，什麼都去嘗試，結果撿了芝麻丟了西瓜，到頭來一事無成！有些事情和我們一輩子也沒有多大的關係，有些時候多一技不無好處，但難的是把一項技藝發揮到巔峰！

不要再嘲笑有些人看起來這也不行、那也不行。愛因斯坦可能不講究整潔，他總是鬍子拉碴，辦公室裡亂七八糟，但他在物理學這方面就是一個非凡的大人物；鐵木真不識字，但他叱吒疆場，是蒙古開國先祖；拿破崙個子矮、韓非口吃……**上天看似剝奪了你幾乎所有，但會給你留有一線生機，那線生機是你和別人的不同，你會在它的循循善誘下成為大人物。**

「術業有專攻」，即便我們可能其他的都不會，但只要有一項我們會而別人做不到，我們就是一個人才！

這一生，我們也該懂了，餘生不長，擁有一項專長，便不會總在追求不到中悔恨終生！

{第一章}

夢想是自己的

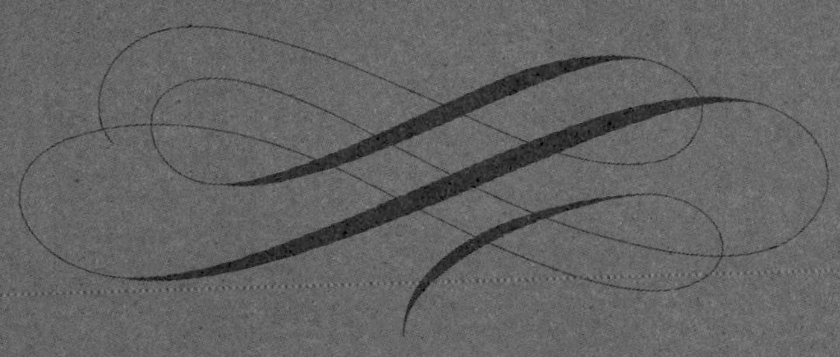

人生在世，會有很多嚮往，我們總希望力求最好。

但什麼才是「最好」？卻因人而異。

往自己的夢想前進，堅持自己選擇的道路。

選對方向後，抱著相信事在人為的決心去努力。

不管別人怎麼看，

只有我們自己才知道該怎麼去定義美好人生。

在人生路上，我們可能面臨許多選擇，

很多選擇不見得有對錯，

只是形塑出不同的人生樣貌而已。

我個子矮，但我力量強，動作靈活！

❤心之小語

這個世上的路有千萬條，哪一條才最適合自己？只要最終邁向成功，何需在乎別人怎麼看這條路？

俗話說得好：「心有多大，舞臺就有多大。」走自己的路，無疑就是為自己創造舞臺。路走多了就寬了，路寬了舞臺就大了；舞臺大了，自己想怎麼走要如何走，那麼就看自己的心情了。

走自己的路，建立起自信：我們是可以創造奇蹟的人。

相反，如果不敢走自己的路，一抬腳心裡就猶豫著不知要往哪個方向，或者走到半路就戛然而止，就只能一輩子活得沒有特色、平平庸庸！

*

有一位長相平凡但極具正能量的女性，她身高一百五十五公分，手腳粗短，似乎不是打桌球的材料。

她五歲就開始學桌球，十三歲入選國家隊時，權威人士對她提出質疑：「像你個子這麼矮，能是人高馬大的歐洲球員的對手嗎？」

她說：「我個子矮，但我力量強，動作靈活；我個子矮，但我意志堅強，思維敏捷。只要我努力，個子矮也可以成為世界巨人！」

不管別人怎麼說，她只是不斷的努力著，摔倒了再爬起來，流血了自己擦乾淨，她相信自己一定會成功的！

她大學畢業時的論文《從小腳女人到奧運冠軍》讓很多人感到意外，當時的國際奧會主席薩馬蘭奇稱讚她的論文：「是打開世界大門的鑰匙！」

後來，她不僅擔任體育行政管理領域的職務，還進入了中國國家機關。

說到這裡，你肯定會好奇，這位長相平凡又這麼出色的人到底是誰呢？她就是鄧亞萍，原中國女子桌球隊運動員、奧運冠軍、桌球大滿貫得主，現任人民日報社副祕書長。

鄧亞萍是中國奧運歷史上第一個奪得四枚奧運金牌的人，在她十四年的運動生涯中，共拿得十八座世界冠軍，她在桌壇排名連續八年保持世界第一，是桌球史上排名「世界第一」時間最長

的女運動員。

薩馬蘭奇後來評價鄧亞萍，雖然自身條件並不好，卻能夠長久稱霸女子桌壇，「在鄧亞萍身上我看到了奧林匹克精神！」

*

鄧亞萍是一個敢於走自己的路、不畏前途凶險的人，她活得最像她自己！

一名偉大的佛羅倫薩詩人曾說：「**走自己的路，讓別人去說吧！**」只要專心致志往自己設定的目標去努力，最終能化蛹成蝶、達到成功！

每個人都應該有骨氣！

心之小語

因為他對我們好，所以我們樂意為他付出。他真心待我們，就值得我們去珍惜！

前幾天，聽朋友說，當鸚鵡的主人不重視牠時，牠就會拔光自己的羽毛，藉此吸引主人的注意。我對朋友的這番話感慨良多，也突然明白，為什麼有些人之間有緣分，為什麼有些人注定只能是過客。

我也時常在想，我為什麼會心甘情願的為某個人做事？是因為他把我放在重要的位置吧！如果在公司裡總是被忽略、呈現不出自己的價值，我想你也會很樂意做出這個決定：辭職！

＊

姜子牙在渭水河畔釣魚，文王派了他的部屬幾番央請，都徒勞無功。後來只有文王親自出

馬，拉了姜子牙所坐的馬車走了八百步，姜子牙才被他求賢若渴的精神所感動，才鞠躬盡瘁的為文王效力。

凡想要有所作為的人，都希望得到別人的器重，**每個人也都有期望被自己所在乎的人所重視的心理**。放在戀人之間更是如此，如果情人變得不喜歡自己、始終無法挽回對方冰冷的心，很遺憾的說，最終結局又怎麼不會是分手呢？

情感的付出，需要對等的重視。要不，為什麼我會為你守候，為你盡我最大的能力？也只有足夠重視某個人，才能讓他願意接受我們的觀點和意見。如果只是強迫別人服從我們的命令，對方只是口服心不服罷了。

真心重視某個人，他會更樂意為你而努力。每個正常的人都會有感激之心，你把他放在心中最重要的位置，他當然不願辜負你的期望。即使有時候結果未能盡如人意，但相信他已是盡最大的努力了。

那些對我們很隨便的人，打心眼裡瞧不起我們的人，如果你還任由他驅使，我只想說你真是太傻了！**世界那麼大，何必在不值得的人身上浪費時間？**

*

有些人，口頭上說都是為了我們好、把我們當自己人，而實際上卻是在利用我們。那些人說得一嘴甜言蜜語，一開始我們很可能會被矇騙，也認為只有他對我們最好。直到自己傷痕累累之後，才幡然醒悟，事情跟我們想得不一樣。

無論是誰，大約都會希望，能有個人一輩子只對自己一個人好。但是，**如果雙方沒有對等的情感，就沒有必要一而再、再而三的傷害彼此了**。別人單方面對我們好，並不是別人虧欠我們，反而是我們虧欠了別人。

「我對你很重要」，當你重視我，我也會反過來尊重你。若是從自己周圍的人得不到重視，但在很遠的地方被認為重要、認真對待，那麼你的伯樂可能在遠方，就別在乎一些人的非議了。

這也是為什麼，如果一家企業知人善任，即便他們的實力還不強、規模很小，如果看重你，你也能在工作中獲得很大的成就感。但如果在公司中，永遠被當作可犧牲的棋子，即使它在同業中數一數二……別傻了，良禽擇木而棲，**既然不對我重視，即使你是全球五百強的頂尖企業，我也不必非得在這裡討生活！**

每個人都應該有骨氣！

面對錯誤，就對得起自己

心之小語

人非聖賢，孰能無過？知過能改，善莫大焉！

二〇一八年的四月二十六日世界智慧財產權日，中國影視製作人于正和作家瓊瑤間的爭執，又再度登上了媒體版面。

事情的起因是這樣的：二〇一五年瓊瑤起訴于正，說他的電視劇《宮鎖連城》抄襲了她的《梅花烙》，結果于正敗訴！

但瓊瑤奶奶還是不高興，為什麼呢？因為于正在這三年間並未履行法院判決，堅持不公開道歉！

于正為什麼這麼「跩」呢？因為他當編劇、製片人以來，已是業內的當紅人物，瓊瑤奶奶的一紙訴狀，讓于正顏面盡失啊！他寧可賠償金錢，也不願意公開道歉。

為什麼有錯不道歉？是沒有道歉的必要嗎？非也！不去道歉，可能是擔心影響自己的名譽進一步受影響，或是覺得不如將錯就錯，又或者覺得已經金錢賠償，算是負了責任，甚至也可能是覺得自己很了不起，在耍大牌……

*

有些不願意公開道歉的，多數都是個大人物，他們並不擔心輿論怎麼說，反正時間久了，就被人們淡忘了！

但是錯了就錯了，沒有必要拒不認錯！時間是對一個人很好的衡量，現在的果是以前種下的因。**我們可以對不起他人，但要對得起自己的良心！**

很多人都會不忍心回首過去，為什麼呢？往事不堪吧！捫心自問，你是否曾做過虧心事，若干年後還耿耿於懷呢？

如何才能從容的面對過去？孔夫子說過：「君子坦蕩蕩，小人長戚戚。」是正派人物，就要勇於面對自己過去的錯誤！

或許在我們身分不是多麼高貴的時候，犯了錯也只能低聲下氣；但是當我們發達之後，可別有了「誰能惹得起我」的想法！

大人物犯了錯，道不道歉對他不見得有多大影響。但道不道歉是一個人的素質問題，雖然短時間內不見得就要為自己的惡行買單，但在往後的歲月裡，會一直活得不釋然！

「不做虧心事，不怕鬼敲門。」只要活得明白，哪怕某天被謠言所傷，你也會寵辱不驚，**身正不怕影子斜，時間會還你一個公正！**

*****

我們要為自己的所作所為負責，人活一世，草木一秋，來匆匆，去也匆匆，不求我們能做出什麼驚天偉業，但要對得起天地良心。

為人坦蕩、挺起胸膛做人，會受到人們的尊重和愛戴。而有錯拒不認錯的，以後的日子還會被這個過錯所困擾。

何必讓一時的過錯貽誤終生！知過能改，善莫大焉！只要坦然面對以往的過失，都能光明磊落的再做人。問心無愧，才能活得瀟灑又最像自己。

做個有能力原諒他人的人

心之小語

我們的一生會犯很多錯，如果有錯的時候能得到寬容，這能改變我們的人生軌跡！在錯誤中不斷成長，最後我們會是個正能量的人！

我在新加坡出版的《國父小故事》中，有這麼一段軼聞：柬埔寨王國的前國王諾羅敦．西哈努克曾遭一個地痞流氓迫害，但就在那個無賴命懸一線之時，西哈努克仍然伸出了援助之手，讓一個墮落的人從此改頭換面。即便他曾經深深傷害過西哈努克，但這位可愛的國王最終還是原諒了他！

每每想起這個寬容的故事，我都會十分感動；但在實際生活中，我卻時常計較別人怎麼對待我。**遇到不公平時，我不甘於被人擺道，想要還以顏色。但冤冤相報何時了？**傷害與被傷害不斷的反覆上演，不是你刺傷了他的心，就是他背後捅了你一刀，何時才是盡頭？

＊

心中有不平，我們自然會想對人申訴，但天下之大，沒有必要把他人逼得走投無路；我們自己也可能都做過錯事，害得他人受傷。

雖然你曾經氣得想置那個人於死地，那個人也曾經害得你無數次死裡逃生，但你和他不一樣、**你不是小人，你有能力向前走，有能力原諒別人**。

然而，世上很多人都樂於把自己的快樂建立在別人的痛苦之上，對方處境愈慘，就彷彿自己獲得勝利一樣。尤其隨著貧富差距的擴大，沒有翻身機會的更是怨氣難平。

社會應該多多的寬容、去愛他們，不能只是作作表面文章！

＊

現在流行的宮鬥劇裡，常常上演皇帝與皇子們為了爭權勢同水火，在權力與利益面前，親子關係不復存在，只剩下了仇恨。

在他們的相互憤恨中，心中受傷的不止是皇子們，更包括孩子和自己離心離德的皇帝。如果皇帝能用自己的大愛寬容他們，父子之間冰釋前嫌、重歸愛的美好，將有多麼令人嚮往？

寬容，能溫暖他人冰冷的心扉；寬容，會讓灰暗變成陽光。即便你傷害了我無數次，如果你最後願意改過，我還是會原諒你的！

買不買房又如何

心之小語

房價飛漲的現代，買房不靠爸媽確實不容易，但人生的路上，我們要靠的還是自己，只要活得自在，何必在意他人看法？

在中國，這一代年輕人若手上沒房子，女友父母就不會答應他們結婚；在台灣，「有土斯有財」的觀念也同樣深植人心。

房先生老家是北京的，多年前他在父母資助下，在三環買了一套三十萬人民幣的房子。雖然也有人嘲笑他：「都畢業了、能掙錢了，還依靠父母，多丟人啊！」但如今，那套房子的價格翻了十倍以上，當初那些數落房先生的親人朋友們，反而羨慕不已！

不少人靠自己辛苦努力想買房，卻扛不住房價飛漲。前段時間，另一個三十多歲的父親給孩子買了一套三百多萬人民幣的學區房，結果成了「負翁」，接下來得背房貸背好多年。

但這位父親卻滿面春光，「再窮也不能窮孩子，再苦也不能苦孩子！」他認為，只要讓孩子贏在起跑線上，他的兒子就能早日成功。今日的「投資」，是為了將來的回報！

＊

社會的現實讓我們知道，如果不提前準備，我們會輸得很慘！但這種房屋投資，真的是很必要的嗎？

那些有不錯家庭和背景的，他們的一生都會活得優哉遊哉；那些靠自己赤手空拳打拚的，稍有不留神，就可能淪為人下人。

社會這麼殘酷，我們若能借助父母奧援，或許就能早一步達成物質上的目標。但是，到最後要靠的還真的是自己！

人生中有很多捉摸不定，現在的物質生活，說不定某一天就沒了，但只有自己真材實料的本領永遠不會消失。

即便目前困難重重又如何？人生中注定要面對很多不如意！

今日面對困難時，我們能夠平心靜氣努力去解決，他日我們就更能遊刃有餘。就算他人認為有車有房才算人生小有成就，但居住在大眾交通系統足夠便捷的地方，即使不買車、租房子，只要活得自在就行，何必「隨波逐流」？

每個人都有自己想要的生活型式。有許多生活水準高的人，更不願意被車子、房子這樣的有形資產所拖累。

人終歸是要長大的，未來的日子也需要你一個人去走！我們所要做的是正確看待購置資產的態度，而不要過度依賴父母！

即使居無定所、即使北漂求發展，對於年輕的我們，這都是一種歷練，能讓我們獲得很多珍貴的經驗。

只要活得最像自己，就沒有必要活在一般人的眼光之中！

成功需要一點不擇手段的堅持

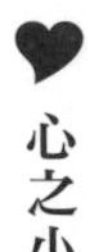

心之小語

命運給了我們一盤沙，我們所要做的，是把這盤沙築成堡壘。

打好手中爛牌的人，才可能日後成為王者！

我們為什麼要努力？因為我們並不滿意現在。人總是希望會更好，愈努力，也會愈幸運！

大約十年前，中國有個因徵婚而一時聲名大噪的網紅，她誇口自稱：「九歲起博覽群書，二十歲達到頂峰，智商前後三百年內無人能及。」不但遭到無數人的奚落，更多人只是把她當做作笑話看。

但這位不知天高地厚的羅玉鳳，現在卻成功逆襲，不但如願拿到了美國的綠卡，聽說還找到了如意郎君！

她就是「自己的命運自己決定」最好的例子。

雖然我們不見得認同她的作為、她的價值觀，但反過來想一想，羅玉鳳所走過的路還是滿勵志的！

她雖然外貌上不出眾，但她不願意認命。她說：**「只要不認命，沒有飛不上枝頭賽鳳凰的麻雀，哪怕最開始低賤到塵埃裡！」**

她是經過了多少艱辛，才能擁有自己嚮往的生活！

羅玉鳳既然已經成功了，我們再多的嘲笑也沒有必要！

想想，我們也很努力，為什麼翻轉不了不如意的命運呢？我們的苦沒人能理解，我們的前程布滿荊棘，也許只有經過無數的磨難，才能夠修成正果！

而在默默努力的路途上，如果有他人加油打氣，我們更能獲得向前的勇氣。但這個世界，每個人都有自己追求的目標，**在前進的過程中，你可能會遭到他人的數落、打擊，這不打緊，對自己選擇的路不後悔就行了！**

無悔，可能是我們對我們所走過的路一個很好的回顧！

前進的過程中沒有嚮導，我們可能也會迷茫、也會陷入死胡同，但親愛的，人生路上有波折，才能遇見更美麗的風景！

*

很多時候，面對輿論的壓力，我們可能會懷疑自己的方向，會與原先的堅持背道而馳，結果，卻活得不快樂，忙忙碌碌卻不知道為什麼！

其實只要我們堅持的是正確的，就要走下去，自有柳暗花明的一天！

我們也要懂得審時度勢、轉換思維，有時候退一步海闊天空，有時候再堅持才是成功！

要相信，自己也並不比別人差，我們所要做的是鍥而不捨，不停的努力！

那些向命運低頭的，失去了努力的激情，一生只能得過且過；我們不認命，努力到最後，都有可能海闊天空！

單身，比你想像的精采

心之小語

「男大當婚，女大當嫁」，但並不是所有的人，都一心追求成雙成對過日子。對於選擇單身的人，我們不該去諷刺、挖苦，而應該理解，這只是人生路上一個不同的選擇。

到了適婚年齡，我們之中大部分人，都會希望與心愛的人共結連理，但不見得所有人都覺得，必須要找個人來陪伴自己才行。

單身，不過是每個人不同的活法而已！

也許你喜歡有個一心人、白首不相離，而他就喜歡自由自在、無牽無掛。但感情是無法強求的。

歷來對於單身的人有不少成見，可能認為他們個性古怪，或在事業上難有成就。

但古往今來，許多赫赫有名的人也不曾成家，依然能活出精采的一生。

＊

還記得《滕王閣序》中「落霞與孤鶩齊飛，秋水共長天一色」的美詩佳句嗎？「初唐四傑」之一的才子王勃，才華橫溢，卻不娶親。

偉大的旅行者與「童話之王」安徒生曾有過多段戀情，他此生創作上有傑出成就，但也終身未婚。安徒生筆下的「小美人魚」已成為哥本哈根的象徵，她靜靜的在海邊沉思著，好像在等待著她想念的那個人！

古希臘哲學家柏拉圖終生未娶。英國女王伊麗莎白一世勤政四十多年，終身未嫁卻奠定了大英帝國崛起的基礎。發現萬有引力的英國科學家牛頓，將其一生時光投入在科學與數學之中，也一個人獨自走完極其豐富的一生。

＊

不少行業中的頂尖人士，也常常見到寧可單身不結婚的。我們要記住，**單身沒有對錯，只要我們活出生命的光彩，那就對了！**

留點積蓄，節省出未來的空間

♥ **心之小語**

錢不是萬能，沒錢卻萬萬不能。

沒有了錢，不但日常生活會出問題，也局限了我們人生發展的可能性。雖是老生常談，但我們必須要給自己留有一定的積蓄，無論如何都不能把錢花得一乾二淨。

無論何時，我們身上多少都應該有一定的積蓄。金錢是生活的根本，尤其是現在工商發達的社會，若是身無分文，就算有再大的能耐，也往往難以維生。

為了更好的活著，不至於將來山窮水盡，我們必須要有一定的積蓄。就算偶然飛來一筆橫財，也不能總想著大吃大喝、怎麼把這筆錢都用光。現在的社會體制下，幾乎只有自己能保障自己的未來。若總是大手大腳花用，未來一旦急需金錢之時，又該怎麼辦呢？

*

小磊和小明是大學同學，他們大學畢業後在同一個城市工作。小磊是那種出手大方的人，他有錢就花、沒錢就賺；小明則是「小器」的人，他總在努力計較著省吃儉用。

不過短短幾年，小磊仍然過著「花完了賺，賺夠了花」的日子，沒有一定的積蓄；小明則已經開了家公司，當上了老闆。小磊每天為生計奔波，小明只需要管理他人就可以過著富足的生活。

小磊和小明為什麼會有如此大的差距呢？我們知道，小磊沒有理財的概念，雖然賺到的錢並不少，卻是左手進右手出，不曾想過未來，也不懂得人生規畫；小明則花了幾年時間存了一筒金，現在，他理財有道，可以用這筆錢創業，做些自己想做的事情，把生活往自己的目標推進。

天有不測風雲，人有旦夕禍福，我們很難預測將來會發生什麼事情。萬一手頭全無積蓄，若是生病、意外等不測的事情發生，我們可能會因為缺乏一筆可以緊急運用的金錢，不僅僅是慌張失措，說不定更可能會做出一些傻事。

若能另謀出路，或許都算是好的了；若是不得不借錢度日，親朋好友基於「救急不救窮」的道理，又怎麼可能永遠幫我們下去？更別提一些利率高得嚇人的民間借貸，若是一時不理智去借了錢，只怕從此陷入債務的流沙中，想脫身都沒辦法。

我們或許不需要成為理財專家，但我們在生活中保留的小奢侈、小確幸，這些小小的享受，必須建立在一定的經濟基礎上，且須量力而為。同時，我們也應該養成節約不浪費的習慣，而且手邊必須留有一定的存款，以應不時、意外的支出。

＊

別急著把勤儉節約想像成艱苦樸素、安於清貧。其實只要不鋪張、不浪費，參考一下現在正風行的「極簡、少物」概念，不但能提升生活的質感，也能讓荷包鬆一口氣，給自己累積財富的機會。

浮光掠影？還是深深品味？

心之小語

我們總以為，世界就是眼前所見的這樣，但只有走出去才能瞭解真實的世界是何樣貌，才會發現很多事出乎意料。

世界很大，我們應該去看看。親身體驗，會帶來不同的人生觀！

我一個臺灣朋友，總建議我去臺灣旅遊一番，還說讓她的同事帶我在臺灣好好轉轉。可是我有點猶豫不決，我到臺灣僅僅是為了走馬看花嗎？我已經透過很多其他方式瞭解了臺灣，若只是隨處看看，可能不會有多大收穫。

能去一個地方旅遊固然是好，如果能在那裡住下就再好不過了。就像之前我在外地求學，後來到了北京工作。初來乍到北京，也曾想每個地方都去看看，結果待在北京十年了，我認識的北京不過是那些名勝古蹟，和一些不知名的小山村。我猜想，我可能一輩子都難把北京踩透走遍！

第一次去圓明園時，感慨它的衰落和斷壁殘垣，我帶著傷感，憑弔了一番；第二次去圓明園時是夏天，朋友和我欣賞著圓明園的美景，看著接天蓮葉、游弋的黑天鵝，我覺得圓明園生機勃勃，好美啊！

後來再去圓明園時，它對我就像是一般的公園。從一開始的生疏，到後來的融入，我對圓明園有了不一樣的切身體驗！

*

旅行對我來說，是一件意義非凡的事！我的地理知識一直很好，即便我從來沒有去過雲南，但當我哥哥在雲南大理出差時，提及當地的美景，我都能一一說出。我哥哥感到十分驚訝，因為他知道我從來沒有去過那些地方，只是自修了一些相關的知識罷了！

旅行，在於要身同感受，並不是拍拍照就行了！**拍照只是初級層次的旅行，求知是第二層次的，用生命去旅行則是最高層次的！**

我對這三個層次的旅行深有感觸。我最喜歡的是第二個層次、第三個層次的旅行！因此，別人邀請我去臺灣、去新加坡時，即使路途不遠，我還是想好好計畫作深度旅遊，因為我不希望只是隨便走馬看花拍拍照，我認為要能融入當地，旅行才會獲益匪淺！

*

前幾年的某個五月，我弟弟帶著小侄子來北京旅行。當時，弟弟離婚了，小侄子的心情鬱悶非常。我作為東道主，當然得好好的款待了！

在小侄子心中，他來北京，一定要去長城、天安門、故宮。我帶他們去了，但每處卻都只是走馬觀花、拍幾張照！弟弟還在微信發了朋友圈，告訴別人說他帶著兒子來到北京了！這樣的旅行，讓他們只認識到北京的皮毛。

去年清明假期，一位上海的同學要闔家來北京旅遊，接待的還是我，他們要去的地方無非還是長城、天安門、故宮。

但是在清明節時，北京淅淅瀝瀝下起了雨，還極罕見的下了雪。有不少背包客都拍了長城下雪的短視頻，把長城形容得雪山一般。看到那些去長城的人，一個個差點滑倒的樣子，我的大學同學就打消了去長城的念頭。

扣掉長城，我們只剩下天安門、故宮。同學直接經過天安門進了故宮，然後在故宮裡，沿著直路一直走下去。要不是我把他帶向旁邊的小側門，他還認為故宮沒有什麼意思呢！還好，後來我把他帶進了很多間博物館，總算讓他覺得不枉此行！

隔天，我們去了頤和園，用了大半天的時間在頤和園裡閒逛。離開頤和園吃了個飯，同學就要去趕回上海的高鐵了。

在這趟旅程中，我也帶了他們去到王府井、西單、鳥巢轉轉。但他們覺得，王府井還沒有上海的南京路繁華，同學也說，頤和園就那個樣，和西湖的感覺差不多。

旅遊只是拍拍照、打打卡，這樣會有所收穫嗎？我不知道同學後不後悔沒去長城，雖然他說下次再去就好，只是他下一次再來北京，不知道會是何年何月？

*

某一年春末我去了張家界，當時是隨團的，旅行團帶著我們去哪裡，我們就要去哪裡。其實我覺得，很多導遊沒說的地方反而更美麗！

導遊介紹的地方，多數是「他們認為」應該去的地方，因為導遊和當地的景區有合作，那是能給他們帶來價值的地方！

所以，後來我旅行不再隨團了。這樣，我可以去我想去的地方，在喜歡的地方停留很久，不喜歡的地方可以一閃而過。

每一次旅行都可能給我們帶來不同的感受。但我們旅行僅僅只是為了看看觀光景點、拍照打卡嗎？很多文豪，一生遊歷名山大川，在每一處都會停留，作品才能更真實反應當地的風俗民情。

旅行在於提高一個人的生活品味、生命層次。我們旅行，也需要有所體驗、有所發現，這會讓旅行更有滋有味，而不會花費了時間、金錢和精力，到後來卻沒有任何感覺！

{ 第二章 }

成功是孤掌難鳴的

我們都希望歲月靜好，

可是世界上哪有什麼一帆風順？

每個人都在砥礪前行！

朋友，是人生中重要的助力之一。

我們的朋友圈不但定義了我們自己

，更會定義我們的成就。

與志同道合的好友一起披荊斬棘，

讓實力強大的對手激勵自己，

開拓出一條通向光明的大道吧！

你的同溫層，聊的都是些什麼？

心之小語

你的朋友經常抱怨嗎？總是覺得全世界對不起他嗎，那你也要小心了，因為朋友對我們的影響力，比我們想像得還要更大。

多年前，我在北京工作的時候，公司裡來了位剛畢業的同事。由於我比他資深，就儘量的照顧他。

這位同事經常在我面前哭窮，向我借過一點錢，有次還弄壞了我新買的一架相機。我當時認為彼此是朋友，就沒有催促他還錢或賠償。

後來，我們的聯繫愈來愈少，而他始終不提還錢的事，也沒有意願賠償我的相機。我知道，他是打算賴帳了。終於，我再也不想和他聯繫！

我們不免會遇到這樣的人，占便宜成性、爭功諉過，他們會讓你背黑鍋，從來不道歉還自

以為了不起。對於那樣的朋友我們應該儘量遠離，小人我們是得罪不起的，君子才值得我們去結交！

＊

如果他是個有君子器度、王者風範的人，他不會和你斤斤計較，還會在各方面都願意助你一臂之力。

我有一個作家朋友，他交友有自己的原則。一是要有某方面的才華或專長、二要心地善良、三要正直誠信、四要有夢想和上進心。

他寫了幾部小說，雖然他所寫的並非熱門題材，但是由於他人際關係良好，一家影視公司的老闆很樂意投資。他和那個老闆相談甚歡，作品也有了很好的出路。

每個人都有自己的朋友圈，而良好的人際關係網絡會成為事業上的無形資產。

當然，物以類聚、人以群分。我們所交的朋友會影響我們的思考與行動，也決定了我們的視野，良友亦如良師，可以帶領我們走向開闊的生命價值。

＊

英國首相柴契爾夫人曾說，一個人的思想會化成語言，語言會成為行動，行動會變成習慣，習慣會形成性格，而性格則決定了命運。

以此觀察我們自己的朋友呈現如何樣貌呢？一流的朋友談論的是夢想，二流的朋友談論的是事業，三流的朋友談論的是事情，四流的朋友談論的是是非……朋友也分為「三六九等」，你身邊的朋友將會決定你的高度！

一個人是走向成功或失敗，往往身邊的朋友也帶來很大的影響。如果身邊的朋友總是抱怨大環境、抱怨上司和同事，他的負能量會讓你感覺事事可厭；如果朋友積極樂觀，遇到事情總能想出辦法，他的正面態度，也會讓你感覺人定勝天！

正所謂「一個好漢三個幫」，你是個優秀的人物，你所擁有的一群優秀朋友，就會是你的助力，為你的前程錦上添花！

被別人小看了？用行動證明就對了

心之小語

你信心滿滿，但有時會遭到冷不防的打擊。你是行，還是不行？很多時候，我們完全不必在乎別人是怎麼想的，只要用結果證明我們真的很厲害，別人就不再會辜負我們的熱情，就會伸開雙手熱烈歡迎我們！

有個作家朋友對自己的作品很滿意，她把自己的作品推薦給出版社，而且開出了很高的條件。她以為世界那麼大，會有很多出版社回覆她，她也可以從中挑選幾家自己滿意的。但是，幾個月過去了，並沒有收到任何出版社要採用她稿件的意向。

她就有點納悶了。依照她先前的經驗，這一類題材的書很搶手啊，她過去的書也多次登上過書店暢銷榜……按理說，作品的品質是逐步提高的，為什麼這麼久了，還沒有出版社的編輯回郵件、和自己打電話呢？她由一開始的悠悠哉哉，變得焦灼不安。

是她混得愈來愈不如以前了嗎？

很多時候，我們對自己感到很滿意，然而，在別人看來，可能衡量標準完全不同。

*

還記得在大學剛畢業時，很多人躊躇滿志的認為即將會有個理想工作。然而，現實是，很多人找不到工作，即使找到，也是學不致用，又要面對起薪低的問題！為什麼當我們認為自己那麼優秀，別人卻給我們潑冷水呢？努力不是只在學生期間，別人否定我們，可能說明我們真的不行！而且若干年後，再回頭來看，會發現當初這些逆境，是對自己的一種歷練！

*

阿裕的學歷不高，老家又在農村，因此他找對象很困難。別人都數落他沒有志氣、沒有出息，尤其是他心儀的一位女生，更是對他嗤之以鼻。

他原本很納悶，雖然他沒錢，但只要對她很好就行了，為什麼她還是不願意接受他呢？

後來，阿裕決定不先急著結婚，而是到大城市裡去闖蕩看看。努力加上幸運，沒花太久時間，阿裕已小有所成。當他過年回老家的時候，當初他心儀的女生也來看他，只不過，阿裕是帶著未婚妻一起回來的，他說：「對不起，我們下個月就要結婚了！」

*

在我們不如意的時候，很多人會對我們避而遠之；一旦我們飛黃騰達了，很多人就會對我們取悅迎合。我們不必對這種人情冷暖反應過度，而要學著寵辱不驚。

你對別人再用心，別人卻冷眼相對、愛理不睬！**每個人都有每個人的判斷標準和選擇愛好，我們何必太在意別人怎麼看？**

人生在世，活出最漂亮的自己很重要。即便很多人都不喜歡你，也不打緊，那說明你還不夠優秀，你所要做的是厲兵秣馬，多方錘煉讓自己更優秀。

成功是慢慢累積的過程，甭管別人怎麼說，我們要保持內心的純淨。即使現在不行又如何，只要我們努力，會有讓別人刮目相看的一天！

善良的人雖不一定過得最好，但一定會有好人緣

心之小語

雖然善良的人不一定過得最好，雖然善良有時也會給自己帶來一些麻煩，但善良所建立出來的交情也最為穩固！

很久很久以前，有一個和尚。一日，他從外面返回寺廟，在半路遇上傾盆大雨，只好匆匆尋找避雨的地方。

他找到了一個大戶人家的門口。誰知，管家無論如何不讓他進去避雨，只一個勁的說：「對不起，我們老爺和僧道無緣！」

拜託了老半天，管家也不鬆口，這和尚無奈，只好冒著大雨返回了寺廟中。

很多年過去，當初那戶人家的主人為了陪妻求子，前往附近的寺廟中拜拜。讓他驚奇的是，他竟然在寺廟中發現了自己的長壽牌位。這是怎麼一回事呢？

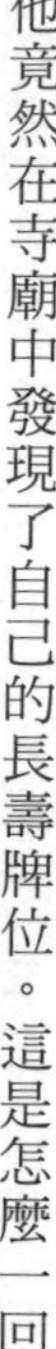

聽寺裡的人說，多年前，他們的方丈外出回來，半路遇到了大雨，無奈有一戶人家的主人橫豎不讓他躲雨，他認為可能和那個人前世有點過節，於是，給他立了長壽牌位，天天祈禱。

那個主人聽了，頓時很感動，也深感愧疚。

從此，他不再那麼冷酷自私了，而懂得廣結善緣！

*

俗語說：「人善被人欺，馬善被人騎。」雖然善良的人並不一定過得最好，但善良無疑能讓我們贏得別人尊重！

人們要對一個人產生好感，常常先看外貌，然而長得好看的，也有可能是蛇蠍心腸。不過人們更看重的是是一個人的才華和品格。

一個有才的人，可以贏得別人的敬重。別人若想和我們有更多來往，還會看我們的人品人格、世界觀、人生觀和價值觀。**如何讓別人時時刻刻的對我們產生好感呢？那就是善良！**

雖然善良有時也會帶來一些麻煩，但善良的人讓人會願意信賴，覺得你值得深交，善良所建立出來的交情也最穩固！

*

有個年輕的單身父親，因為妻子早早過世，得獨自照顧三歲的兒子。他經濟條件不佳，除了房租、吃飯等開銷之外，幾乎所剩無幾。

有天，他的孩子病了。眼看著兒子病情每下愈況，這位年輕的父親很著急。該怎麼辦？

他決定搶劫！他在大街的暗處觀察了很久，把一個弱不禁風、看起來很富有的女人當做了目標。

雖然他搶劫成功，但打開錢包之後，看著裡面的身分證、提款卡，他的良心在責備著他！

這個父親最終決定，把身分證、提款卡寄還給那位女士，並說明了自己搶劫的原因，請求對方原諒他！

誰知，那位女士在知道了他的難處之後，不但沒有追究，反而協助他的兒子就醫，幫助他的兒子康復起來。後來，他們成了好朋友。

雖然在這世上，我們也可能遇到偽善的人，但憑著善良的心，我們為人處事坦坦蕩蕩，更能在將來逐漸累積出好人緣！

是個人才，更要出去尋找伯樂

心之小語

一匹千里馬，也需要伯樂的賞識。伯樂得先看到才能，才會去發掘它。我們可能有能力也有抱負，但是，如果只是默默的希望伯樂來發現自己，往往只能顧影自憐、壯志未酬了。

有一位漂亮的江南女孩，生得沉魚落雁、閉月羞花。她知道自己外貌出眾，生平的願望就是等著某天有個星探來發現她，讓她一鳴驚人。

江南女孩就這樣默默的等待著，每天一個人獨來獨往，她認為自己是高人一等，不願意和那些庸脂俗粉、普通的人物在一起。

她一直希望，某天命運之神可以讓人發現有她這個美女存在，讓她像古時候的西施、王昭君一樣可以改變歷史。然而，她只能天天照看著水面上、鏡子裡的倒影，看著自己漸漸老去的容顏。

江南美女一直不明白，為什麼這一生她都沒能夠一鳴驚人。

*

就算這位江南美女的確非常漂亮、又有才華，但是，她完全把自己封閉著，不與別人往來、交流，只傻傻的認為會有某個人發現她，讓她一鳴驚人。但她從未想過，萬一伯樂最終沒出現，她這一生不是完了嗎？

或許有時候，我們也會有類似這位江南美女的想法。我們可能擁有有別人無法比擬的條件，也等著一位知遇之人來發現我們。

有才能，我們也要恰到好處的展露出來，讓別人有機會發現我們的才華，才不至於一生孤苦落寞、有志難伸。

就像有的人常常抱怨自己生不逢時，卻只是束手等待命運之神的降臨，自認為是個能做大事業的人物，卻不願意主動的去奉獻自己。一旦別人並沒有發現你的光芒，這一生豈不就被埋沒了？

別總是一味自憐、總是念著自己懷才不遇，整天自怨自艾有什麼意義呢？一樣美麗的精品，也需要陳列在世人面前，人們才有機會發現它的美好。**如果我們不向外展示自己是個人才，誰又能知道我們的能力呢？**

要讓別人認識到我們的不凡，除了我們必須先具備特定的實力之外，更不能一味的等待別人來發現，而應該主動的展現自己，讓別人看到我們原來如此優秀。千里馬還需伯樂賞識，伯樂看到了我們，自然會更能讓我們發揮長才。

成功不是單靠一個人的力量完成的

心之小語

不論你和什麼樣的人交往，千萬不要忽略了尋找共鳴點。志趣相投的好友，才能共謀大業！

我們選擇朋友，都會找和自己能夠溝通的人，如果對方懂我們就再好不過了！一個知己，除了可以彌補我們的不足之外，更好的是要有相同的興趣和愛好。這樣，友誼才能長長久久，留下「高山流水」的佳話！

*

法國著名的博物學家拉馬克（Jean-Baptiste Lamarck）是生物進化學說的奠基人之一。他的成功，除了自身的因素以外，還得益於他的兩個親密的朋友。

一七六六年，拉馬克因為身體健康的原因，改學醫學，同時兼修學習化學、物理學、氣象學

和植物學等。

一天，拉馬克正在巴黎的一個植物園散步，觀察植物園裡的植物，為自己研究準備資料。這時，他偶然遇見了當時法國著名的哲學家、作家盧梭，兩人坐在一起閒聊起來。

兩人聊得非常投機，大有相見恨晚的感覺。盧梭認為拉馬克是一個上進心強的青年，並且知識豐富，肯定會奮發有為，而拉馬克也覺得盧梭就像是一位慈祥的老師、貼心的朋友，簡直是一見如故！

後來通過盧梭的關係，拉馬克幸運的進入了皇家植物園植物研究室。在這裡，拉馬克又結識了法國當時最有名望的科學家布封（Comte de Buffon）。並且他與布封也能尋找到共鳴點，後經布封提名，拉馬克成為巴黎科學院的植物院士。

一七八一年，布封為拉馬克提供了一次遊歷歐洲的機會，拉馬克帶著布封的兒子，以法國皇家植物學家的身分出外考察。在這次遊歷中，他收集了大量的動物、植物和礦石標本，大大拓展了生物界的視野，為以後的生物學研究打下了基礎。

法國大革命後，皇家植物園改為國立自然歷史博物館，一七九三年拉馬克出任自然歷史博物館無脊椎動物學教授。

*

從拉馬克的經歷可以看出，和人交往，找到共同點，才能共同進步。

我們這一生想做的事情很多，但有時候孤掌難鳴，不是單靠自己一個人的力量能完成的。如何讓別人和你站在同一條戰線上呢？當然，你不能強行改變別人的意願，最好的辦法是找到志趣相投的朋友。

道不同不相為謀，只有志趣相投才能一起做事，才會把事情做得出色。不然，每個人的心中都有每個人的算盤，不齊心協力、搞內訌，注定會把事情搞砸！

讓你變強的那個人，其實不是你的朋友

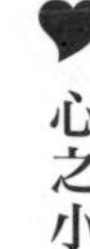

心之小語

對手看似阻礙著我們成功，但這在於我們怎樣去看待。以牙還牙只會兩敗俱傷，只有涵養靈性，才能在對手的激勵中讓自己變得更強，從而不被輕易淘汰出局，更能成為別人心目中無堅不摧的力量。

我們都知道「適者生存」，當你敗退之時，是否會感謝你的對手呢？先不急著回答，我們來看下面一個例子：

在非洲大草原，曾有這麼兩個鹿群。一個無憂無慮的生活著，一個整天在獅子的追捕中度過。

那些無憂無慮生活的鹿，從來不必擔心獅子會來，每天懶洋洋的著曬太陽，餓了就去吃草，幸福極了！而那些整天在擔憂中度過的鹿，則變得越來越矯健、強壯。後來，有批獅子光臨了那些生活很自在的鹿群，由於它們懶散已久、變得肥胖，最終都沒能逃過獅子的獵捕，而那個時時

刻刻有危機意識的鹿群，一直很好的繁衍下去。

兩個鹿群卻有不同的結局，是因為第一個鹿群沒有對手，第二個鹿群有對手讓它們時刻保持著清醒的頭腦，所以才能生存下去的。

*

我們要感謝我們的對手，是他們讓我們變得強大。即便曾經有過不愉快，也依然要感謝他們，讓我們臥薪嘗膽、讓我們不斷精進，讓我們獲得更大的發展。

在一次業績評估中，小黃是公司裡最優秀的員工，在過去一年獲得了巨大的成功。

在表彰會上，小黃感謝了他的同事、主管，感謝大家給他無私的幫助，才讓他進步那麼快。然而，坐在台下的主管對小黃拋來有些不認可的目光，隨即又露出和藹的笑容。

小黃瞄到了主管的表情，帶著滿腹疑問請主管也說句話。他的主管滿面春風的站起來向眾人致敬後，說：「其實，小黃感謝的不應該是我，也不一定是他的同事，他有另外的人更值得感謝，他卻忘記了！」

全場頓時一片靜默，小黃也不知所以然。這時候，他的主管說：「其實，小黃最該感謝的是他的對手。因為他們帶給小黃競爭的意識，才能鞭策小黃進步。」小黃及在場的人聽了，紛紛鼓掌讚同。

＊

我們不該記恨對手，而是應該心懷感謝。

對手讓我們在失敗時嘗到刻骨銘心的疼痛，然而，沒有失敗就沒有進步，一帆風順才會帶來真正的危險。**或許對手讓我們飽嘗辛酸，但也因如此，我們才更會激勵自己。是對手，讓我們不自滿、求進步，變得愈來愈強。**

在對手嘲笑我們、忌憚我們時，我們更要韜光養晦、厚積薄發。

無論可能多麼難堪，多麼讓我們失望自責，但最後都該感謝我們的對手。是對手讓我們戰勝了自己這個最大的敵人，讓我們走出了暫時的麻痹與懈怠，帶來最終的幸運與成功。

是對手讓我們變得愈來愈強，我們不應該感謝他嗎？

大膽開口，打開陌生領域

心之小語

千里難尋是朋友，朋友多了路好走，如何和陌生人成為朋友呢？如何與陌生朋友聊天時，能讓對方感覺一見如故？掌握說話上的訣竅是很重要的！

現實生活中，不管是工作、學習、做生意，都需要良好的人際關係，這會幫助你登上成功的巔峰。

我們應多結交朋友，但在認識新朋友時，又該如何打開話題、順利的交談呢？交朋友就像寫文章的「起承轉合」一樣，第一印象很重要！

認識新朋友時，一定需要發生什麼事件，或是透過他人介紹，才能跨越陌生的防線嗎？其實不見得！透過以下三句話，你也能把陌生人變成朋友。

第一，「您好，我可以認識你嗎？」

第二，「我們可以聊聊嗎？」

第三，「我相信你做得到的！」

＊

阿紫開了一家小小的葡萄酒經銷店，她入行還不滿三個月，這天，她前來參加一個同業交流的宴會。

阿紫以往沒有接觸過這個行業，近一個多月來，她的葡萄酒經營也不見起色！心煩意亂的她希望今天在這個宴會中，能找到一個顧問，打破目前的困境。

在宴會廳裡，彼此熟悉的人們都站在一起談天說地。在這個幾乎都是陌生人的場合裡，阿紫悶悶不樂的走到一個角落，站在那裡，吃著盤子裡的食物。

過了一會兒，阿紫不經意發現，在不遠處另一個角落，也有個像她一樣獨自待著的人。

阿紫端著酒杯走到他面前，「你好，我可以認識你嗎？」對方似乎有點不知所措，但稍後，他也站起身來，伸出手，介紹了自己。

他們禮貌的握手之後落了座，阿紫細細的打量著他，說：「沈先生，你是不是有心事？我們可以聊聊嗎？」

沈先生長長的舒了一口氣，慢慢的將心事說了出來。原來，他經營一家布行，由於這個行業

比較傳統，訂單愈來愈少，經營也愈顯艱難。他想了很多辦法，結果都不盡人意。身邊的人都勸他放棄，但他並不願意放掉自己苦心經營的事業。

阿紫不住的點頭。深有感觸的說：「沈先生，你做得很對！每個人都需要有自己的堅持，不能因為有點小麻煩就放棄，徹底否定了自己！我相信，你一定會找到解決的辦法的！」

難得遇到了一個願意認同他想法的人，沈先生接著又說了自己的很多顧慮，阿紫緊握住他的手說：「沈先生，我相信你做得到的！」

那天，沈先生和阿紫談了許多。最後他激動的說：「謝謝你，你這個朋友我交定了！來，讓我們為我們的友誼乾杯吧！」

*

對初次見面的陌生人，用「您好，我可以認識你嗎？」來破冰，雖然直接，卻也比東拉西扯找話題顯得不那麼彆扭。即使對方興趣不大，也不容易直接拒絕。

詢問對方是否可以聊聊，如果對方比較健談、無所顧忌，你們可以放開胸懷暢聊一番。如果對方有所警惕，也別擔心，他可能在判斷你是不是一個正直的人。如果他心底認可你，你們可能由陌生人變成好朋友，如果他有所反感，那就知趣就此打住吧！

在和陌生人聊天時，談的話題多半不會過於深入，但如果他願意把心中的苦衷、難言之隱向你說起，這時候一定要傳達理解、鼓舞與支持，給予他自信，「我相信你做得到的！」你們之間友誼的橋梁就由此形成了！

然而，大千世界，千人千面，有時候「知人知面不知心」。我們和陌生人打交道的時候，也要注意去觀察對方的真實意圖。有些小人表現得一本正經，但從他的言談、舉止中，仍然可以看出蛛絲馬跡！

沉迷於權力的遊戲，結局只會是孤獨

心之小語

人們都說要「同甘共苦」，這樣的友誼才能長久，若是眼中只有自己的利益，只會讓人對你避而遠之。

為了爭權奪利，犧牲親友、用盡心機，最終獲得的只有孤獨而已。

《孟子．梁惠王下》中說：「獨樂樂不如眾樂樂！」在我們一無所有的時候，我們會希望眾樂樂；而當我們大權在握、說一不二的時候，我們就有可能希望獨樂樂了。

然而，在**追求權力與利益的這條路，若是走得稍有不慎，你可能會發現，路上只剩下了你一個人**。即使此時你已能一句話呼風喚雨，卻沒有人能和你分享生活快樂的點滴了。

*

在某個朝代，有位名為阿蓉的女子，她是諸侯長女，養在深閨之中。少時她有個青梅竹馬，

阿蓉認為這就是她未來夫君，兩人將琴瑟合鳴、生兒育女，天真爛漫的活在遐想之中。

待她及笄那年，正逢宮中選秀，凡是適齡未婚女子，都必須送入宮中參選。雖然阿蓉是養在深閨中，但她還是被皇帝身邊的人發現了。

不願進宮的阿蓉多次輕生尋短，她的父親滿懷無奈，仍是萬般不得已將她送入宮中。

入宮後的阿蓉，才知道原來自己在別人眼中貌若天仙，她還備受皇帝寵愛，就連鬧脾氣、生病，都讓皇帝十分上心。有回她病重，皇帝甚至下令：治不好愛妃的病，所有御醫都要提頭來見。

在御醫們各顯神通下，阿蓉的病好了起來，但病癒後的阿蓉卻像換了一個人似的。在皇帝面前，她仍是一副柔柔弱弱的樣子，但皇帝背後的她卻開始展現野心。

看來，是權力的滋味、後宮爭寵激發了她的權力欲望，這時，曾經的青梅竹馬如何，她已不在意；為了爭權，她對上懷柔小意，對下恩威並施。

漸漸的，愈來愈多官員上奏清君側，要剷除這個妖妃，但這只讓阿蓉的鬥志更加旺盛。曾經的深閨女子，不知從哪裡學來的諸多手段，但那些對她有異議的人都被一個個翦除了，皇帝仍渾然不覺。

為了登上權力之巔，阿蓉想辦法累得皇帝懨懶無法起身視事。但奏折還是每天送進來，她就在御書房中默默代替皇帝攝政。

阿蓉算是實現了一人之下、萬人之上的夢想，但她這才發覺，一切已物是人非。青梅竹馬、要好的小姊妹們，已經在這場權力爭奪中被她當做棋子犧牲了，她的父母早已不在，親族中更沒人敢接近她。縱使大權獨攬，但她的身邊誰都沒有了，與她最親近的人，只剩下病入膏肓、連一句話都說不完整的皇帝。朝臣們敬她懼她，但是沒有一個人愛她。

*

為了爭權奪利，用盡心機，這會讓我們從單純變得老練，而且發現，已經很難再回到當初的美好，沒有目的、不帶企圖的純真過去，是永遠都回不去了。

眼中只有自我利益的人，只會讓人避而遠之，而無法讓人感到可敬可愛。為了不讓成功淪落到只剩冰冷的算計，我們要學會分享資源，施福與人，不但同舟共濟，也為自己留一條後路。

玩社群、貼文分享，別玩出後遺症

❤心之小語

每個人都渴望得到別人的認可。但是，在社群平台上放閃曬美食，很多人按了讚就真的是認可我們嗎？

或許你只是挑選生活快樂的一面來展現，但看在有心人眼中，有時候卻很可能為自己帶來危險。

有位詩人朋友苦心經營部落格三年多，因為自己用盡心思寫出來的詩歌遲遲得不到他人認可，而感到很沮喪。他後來想通了，生存第一，得迎合大眾口味，寫別人愛看的、能賣得出去的文章！

他後來轉換路線，在部落格裡拿朋友的感情事大做文章，雖然他的目的達到了，文章被大量點閱轉發，但這種話題也容易招致是非。

後來，有次在他分享的心情筆記裡，由於含有對方不允許的內容，被舉報後導致部落格被永久停用，苦心經營的粉絲全沒了。即使他向當事人、管理方道歉，仍然沒能拿回自己的部落格。

有時我們就會因為一個小疏忽，讓之前的辛苦全都泡湯。

*

有些時候我們忽略了社群網路也是一種公共平台，在社群上發的動態，也可能會為自己或家人帶來危險。

有個朋友是個五歲孩子的父親，他經常在社交網站上分享孩子的動態。孩子今天是上學了，還是去哪裡遊玩了，他都要發表一下心情說說。

後來某一天，他的兒子放學後卻沒回家！

那晚，他接到了勒索的電話，他的心一下墜入谷底。

雖然歹徒最終仍是落入法網，但兒子已經經歷了永遠無法抹去的傷痛。從此，他再也不分享兒子的動態，希望能多保護一點兒子的安全！

現在的社會，識人識面不識心，所以，**我們要給自己留一點空間、留一點祕密，謹防壞人借題發揮！**

*

你可能會發現，在這個臉書、IG 大流行的時代，有些人反而很少發布自己的動態。他們可能非常忙碌，很少有時間去發表一些芝麻小事。

有些人見過人情冷暖，明白有些話、有些事埋藏在心頭最好，不會一有什麼事就和盤托出。也有些人是明白別人生活的不易，他們不希望因為分享自己的好生活，讓那些過得不好的人心中難受，讓別人給他貼上「炫富」的標籤，和他之間的關係疏遠了。

最重要的可能是，他們有足夠的自我認同感，對自己的現況還算滿意，不會一直想和他人比較。他們明白，與其嚮往別人的生活，不如好好關注自己的內心，讓內心世界更加安定！

有的朋友是一輩子的，有的朋友是一陣子的

心之小語

「三觀」是指世界觀、人生觀、價值觀。如果三觀不合，難免會分道揚鑣！

前幾年的某個夏天，我認識了一個名叫賈飛的人，他是中國大陸有名的一九八〇後作家、記者。由於我們倆的志向不一樣，他想要在國內闖出一番名號，我則打算向海外發展，所以，我們相互欣賞。

我們一開始在網上建立友誼的，聊得還很投契。我們相互推薦彼此的作品，後來又與同一個經紀公司合作，有一陣子往來十分密切。但後來，我們各自有各自的事情要忙，漸漸就疏於聯繫，以至於到今天，感覺都有點陌生了。

每個人有各自的追求，即便一開始從同一個起點出發，如果追求的方向不一樣，彼此之間的距離自然愈來愈遠。

這多數表現在個人的世界觀、人生觀、價值觀這「三觀」上！

*

有幾個簡單的條件，可以辨別一位朋友與你三觀合不合：

第一，如果你們聊天時經常說不到一起，表示你們的思路經常不對接，那麼你們的三觀不合。

第二，如果你見到對方就很煩，無論對方做了什麼你都不能滿意，那麼你們的三觀不合。

第三，如果你們對未來的規畫不一致，他要安於現狀，你要拚搏進取，那麼你們的三觀不合。

第四，如果你們之中有一方覺得低人一等，有一方看不起另一方，那麼你們的三觀不合。

第五，如果你們互不認可對方身邊的其他友人，那麼你們的三觀肯定不合。

有時候我們不得不承認，有的人只可以相處一陣子，有的人卻可以相處一輩子！

在動畫電影《神隱少女》中，有這樣的一句話：「每個人的一生都是從起點駛向墳墓的列車，有的人和你坐幾站就會提前下車了，而你要做的就是和他們揮手告別。若是遇到一起坐到了終點的人，那就是莫大的幸運。」

我們的人生就像是搭上一趟列車，世界觀、人生觀、價值觀是否相同，決定了我們能與這位朋友走多遠。

＊

其實，三觀沒有絕對的對與錯，每個人的成長經歷和背景、知識水準不一樣，難免會有所差異。三觀不同的時候，我們不該相互仇視對方，而是要懂得尊重！

當然，我們都會認為自己的三觀是正確的，否則也不會一直堅持下去。相對的，別人的想法也一樣，沒有必要勉強別人接受我們的三觀。

我們要體諒和自己走向不同人生方向的朋友，**有時候從對方角度著想，你會發現，他的三觀也自有其道理！**

那些一心總想改變別人的、不給別人留退路的，只會讓朋友與他漸行漸遠，不僅現實的距離如此，心的距離更也隨之拉遠。

{第三章}

個人品牌必修課

為何愈來愈多的人樂意和你走得近？

無非是你擁有良好的氣場。

在這個自媒體的時代，

個人品牌力已經成了必修課。

在建立人際關係與獲得職場機會上，

散發恰到好處的個人魅力，

做最特別的自己。

擁有哪些品質，別人才更喜歡你？

心之小語

每個人心中都有一位偶像，那是當我們決定成為更好的自己時，為自己訂下的目標。從今天起，努力向前邁進吧！當個人的價值得以實現，你也會成為別人心目中的偶像！

在他人眼中建立好形象，是與人來往不可或缺的。

試想，跟一個態度渾身帶刺、說話夾槍帶棒的人相處，誰會感到舒服、開心呢？我們雖不需要八面玲瓏的討好他人，但一定程度的討人喜歡，能讓我們在許多事情上都比較順利一些。

如果長得不夠好看，那麼不妨適時展露自己的才能，要是覺得自己也沒什麼才能，那麼就時常保持微笑吧，**每個人都無法拒絕微笑的人！**

如果你總是覺得自己不夠時尚，淳樸也未嘗不是一種美！

和別人握手時，別閃電般的鬆開，適時的延長一兩秒，表現你的熱忱，能贏得對方的信賴，你們之間的關係或者合作會進一步深化。

*

凡事不可自我中心，試著從別人的角度看事情，必要的時候應為他人著想。當你遇到困難的時候，別人才會為你考慮。

朋友是建立在真誠關係上的，不能把金錢往來作為首要。朋友之間借錢很傷感情，所以儘量少向朋友借錢！

背後評論別人時，不要大肆批評，盡量中立、對事不對人的表達感覺。這些話絕對有一天會傳到當事人的耳裡，你說過的話，都會被放大。真的對他有建議，最好當面平和的說，他更能感覺到你的真心，對你也以誠相待。

別人當面嗆你時，不要回嘴更不要衝撞，必要的時候裝作無所謂，或者報以真誠的微笑，對方會因此知趣、退縮！

親朋好友生病，主動去探望。要像自己生病一樣，關心他體貼他，在對方需要時盡力提供協助。

別人取得成功，不要嫉妒，要報以熱烈的掌聲與喝采。如果某些人以前能力不如你，現在卻

超越了你，就應該向對方學習。

不以身分區別人與人的高低，其實每個人都是平等的。和各行各業的人士做朋友，能讓我們開拓眼界、增廣見識。

*

自己的往事都屬於過去，不必和盤托出。避免有些小人知道了你的全部，往後抓住你的把柄，對你不利。

對於不喜歡的人，不必表現出厭倦情緒，而應該尊敬他們的優點。我們尊敬他人，別人也會回以同樣的態度，到了某個階段後，你會發現，你已經不再厭煩他了。

學會批評自己，沒有人喜歡驕傲的人。謙虛是一種美德，別人會認為你具有真實的內涵，從心底佩服你！

當別人對你好，不要認為這是理所當然的，要懂得感恩。用一顆感恩的心去回報對方，你會發現這個世界真情無處不在！

不能別人說什麼你就說什麼，不道聽塗說、人云亦云，要有自己的主見，自己的看法。同時也要多傾聽他人的看法。

坐而言不如起而行，相信自己是最優秀的，積極向前，任何困難都可以解決！表現堅強，也

能把正能量帶給周遭的人。

要讓別人喜歡我們，其實最基本也最重要的，是我們要先欣賞自己，了解自己的長處與短處。人都不是完美的，發揚自身優點，逐漸改進缺點，一步步前進，就能打造出個人的品牌力！

培養興趣，也是與人拉近距離的好方法

心之小語

「道德和才藝是遠勝於富貴的資產。墮落的子孫可以把貴顯的門第敗壞，把巨富的財產蕩毀，而道德和才藝卻可以使一個凡人成為不朽的神明。」

——莎士比亞《泰爾親王佩利克爾斯》

社會的經濟水準已普遍比過去提高，人們也都會培養自己的興趣與才藝來豐富下班後的生活。有點個人愛好，會讓自己不寂寞，對提升性靈有益處，也會陶冶我們的性情。透過才藝與興趣培養氣質，能增添我們的個人魅力，也有利於社交。

比如公司舉辦團體活動，你施展一下絕技、唱一曲好聽的歌，跳一段優美的舞等等，都會討得大家的喜歡，從而贏得好人緣。

*

現代人拿筆的機會愈來愈少，書法卻是一項陶冶性情的好才藝。不管是傳統書法還是英文書法，草書、楷書、行書還是軟筆字、花體字，書法散發著古老的藝術魅力，都廣受人們喜愛。

傳統中國書法的結構變化微妙，形態不一、意趣迥異。在欣賞前人書法的同時，不妨自己也練一下，學習書法，可以修身養性，對我們的心理和生理都有一定的調節作用，久而久之，可使人性格沉穩，注意力集中。

除了書法之外，學習樂器，沉浸音樂之美也是不錯的才藝興趣。科學家發現，只要學習同一項樂器超過三年，就能在聽覺辨別、手指靈巧方面、詞彙和非語言推理能力、認知能力方面優於那些沒有學習過樂器的人。

學習樂器好處多多，除了可以領略音樂的美好之外，多學習一些樂理知識更能了解其中的樂趣。

彈奏鋼琴可以讓我們忘卻不快，平靜浮躁的情緒，坊間都有不少成人鋼琴課課程可以選擇。只是，買一台鋼琴也算是不小的投資，要視個人的財務能力而定。

相對於鋼琴的高價位，吉他這項樂器就平民得多了。如果偏好紘樂器，入手一把民謠吉他或烏克麗麗，是相對容易的。除了吉他，也可以找得到如古箏或小提琴等的樂器課程，只是小提琴學習初期可能沒有那麼容易上手，而古箏則是別有一番趣味。

*

在台灣，想要學習各種樂器或其他才藝都不困難，初入門可以在社區大學或救國團尋找有沒有心儀的課程。現在也有許多線上教學平台，利用影音形式來教授課程，買過的課可以反覆觀看，相當值得。

而除了樂器之外，也有很多繪畫、手作課程、園藝、烘焙等形形色色興趣待你去發掘。度過初學階段後，想再尋找深度課程或是自修，都是不錯的。

學習不同才藝，不但可以拓展自己興趣、調劑生活，也能和他人有更多共同話題，在日常生活或工作上，往往可以出其不意的拉近彼此的距離。

快樂面對人生，心境對了讓你更美

心之小語

俗話說：「相由心生！」一個人看上去美不美，往往是由他的心境決定的。也有「蛇蠍美人」、「才華與相貌成反比」的時候，不過，只要心胸開闊、擁有美好的內在，身上的氣質會讓你更加分。

很多人說外貌是父母給的，我不反對這種說法，只是我更認為一個人長得如何，說到底其實是靠他的心性而定！

在我們兄弟姊妹當中，每個人都長得不一樣。有的人父母長輩長得算是普通，子女卻看起來一表人才，而完全相反的例子也是存在。

我仔細的分析了一下，人為什麼會看起來比實際上年輕。一是心地要純潔無瑕，二是儘量善待別人，三是修養自己的靈性，四是要心態正直。

＊

歲月就是一把刀，人總是會隨著時光的流逝愈來愈老，但我發現，一個人的顏值和年齡並沒有太大的關係。總有一些人，雖然臉上添了幾縷皺紋，但他們看起來卻沒有太多改變。

當然，這裡不是指醫美整形，除了有些人可能是天生的「娃娃臉」之外，我想這些人「駐顏有術」，關鍵在於他們面對人生的心態，以及善良的心地。

一個心地好的人，常保樂觀心情，用微笑迎接每天的日出，就算乍看他一副凶神惡煞的樣子，你也能從眼神中看出溫柔來。而有些外表傲人的俊男美女，有時反而會從神情中透露出冷漠與刻薄。

＊

不可否認，這是個以貌取人的社會，但徒有外表沒有內在，待年華老去時，又拿什麼與人交流？

娛樂圈的演員、明星們，幾乎每一個都長得好看極了，但人品與敬業精神才是其事業真正的助力，也才是粉絲們支持不輟的理由。

也有些十分有才華的人，雖然外表好看，卻不輕易拋頭露面。他們不想靠顏值打開事業的道路，美貌只留給身邊的人去欣賞，這對他們來說，才是真正的證明自己。

現代醫美發達，不分男女，若對自己的外貌有所不滿，都可以尋求醫學上的幫助。只是，人的外貌雖然容易改變，但內心卻要靠自己才能改變。

心胸開闊、樂天知命，不管長得好不好看，都能透露出一股豁達的氣息，讓人覺得很舒服。很多時候，一個人的內心還往往真的決定了他的外貌如何，只要我們心底無私、是個好人就行了！

網路時代，也是個人品牌的時代

心之小語

我們常常見到這樣的現象：愈有名氣的人愈容易被關注，隨便發個動態都可能引來無數的粉絲回應，他們說的每一句話都可能成為金玉良言。相反，那些沒沒無聞的人，即便做出了成就，也沒多少知曉。

人啊，就在於活出自己的品牌，打響品牌很重要！

人總需要在不斷變得優秀之中前進，如果一味埋頭苦幹是不行的。現在的社會講求的是個人品牌，有愈多人知道你、認可你，就能擁有愈多機會，也能發揮更大的影響力。

打造個人的品牌很重要！我們有必要提高自己的知名度，追求成為同業中的菁英。若能從無數人中脫穎而出，我們獲得的回報也會是可觀的！

要能對人們產生影響力，要先讓他們熟悉自己這個品牌。向來人們總是最容易相信熟悉的

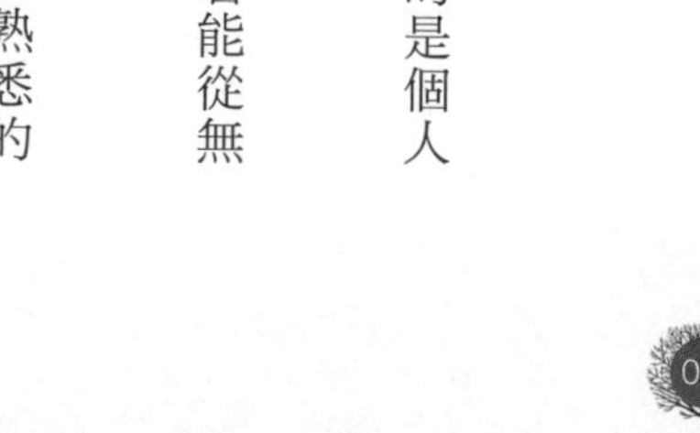

人、有名的人所說的話，也最容易信任經常接觸的企業。

人們能記住的是他們習以為常的，對於沒有聽說過的，他們往往會拒絕、排斥！

就好像花旗集團是全球知名金融集團，但中國一般普通民眾可能只知道中國銀行、建設銀行、交通銀行等……突然冒出來個花旗想對他們提供服務，他們可能也不願意接受。

*

這是人力銀行和 LinkedIn 的年代，也是 Google 的年代。

我們求職時，面試官可能會問：「網上能搜到你嗎？」HR 也可能會透過網路上的評價，來判斷我們的能力與影響力，從而決定我們的薪資水準。

企業斥巨資請明星代言也是類似的想法。讓自己的產品和明星們一起上鏡頭，能帶來更大的品牌效應；明星粉絲之間傳遞訊息的巨大效益，能瞬間讓很多人認識到自家產品。

知名度可以決定我們能影響多少人，但內在更加重要，內在會決定我們能影響別人多久！

「80／20法則」告訴我們，在任何一件事情中，是主要的20％變因，操縱著80％的局面。比如全球20％的富有人口，掌控著80％的收入、20％的客戶貢獻了80％的銷售額。

人生的價值，在於我們影響了多少人！為了擁有更好的影響力，我們要打造自己的品牌，盡力成為那優秀的20％。

＊

那些生活在底層的市井小民，他的一生能影響的可能就是身邊的那幾個人，當他去世後，很快就在這世界上了無蹤跡。

而位居頂端的領袖、思想家、企業家等，他們在世時就牽動著很多人的心，每一句話都影響著很多人，所以，即便他們不在了，他們的精神仍會持續影響這個世界，他們的價值就是廣大的！

人活著就要活得有價值！在贏得別人認同的同時，也要活出最出色的自己！

適當修飾外在，做個內外皆美的人

心之小語

內在的修養很重要，外在的修飾也不可或缺。我們的外觀不是給自己看的，而是給別人看的，穿戴整潔、舉止有禮，讓別人留下好的印象，何樂而不為呢？

外表不是一切，但適當修飾外在，也會有加分效果。在我們的既有印象中，可能會認為只有某些行業特別需要注重自己的形象，但其實不然，令人舒服的外貌往往能在他人心中留下好的第一印象，也有利於我們追求自我成就。

曾有一個藝術家朋友，認為自己不修邊幅是很正常的，沒有必要特別注意自我形象。或許你也可能認同他的想法，但不管我們從事任何行業，都該注重自我形象。因為，**我們的外觀不是給自己看的，而是給別人看的**，穿戴整潔、舉止有禮，讓別人留下好的印象，何樂而不為呢？

*

給別人留下好的印象，並不是要到像明星那樣人見人愛，但我們需要關注自己的形象，若是隨便亂說話、隨意亂穿戴等，那樣是對別人不夠尊重、不夠禮貌。

即使別人當時不在意，但事後談及你，邋遢隨便的形象可能已經深深刻在對方心中。無論如何，保持清爽美觀的外貌，在人際往來上能為我們加分。就算你不是學富五車，別人也不至於厭惡你；而如果你有內涵，別人對你的印象就會更加美好了。

就以照相來說，平時我們會拍很多生活照、旅遊照，即使只是手機隨手一拍，我們也只會留下好看的照片，刪去那些不滿意的。既然如此，**我們何不把自己好的一面展現給別人呢？**

一般而言，身分、地位愈特殊的人，愈需要注重自己的外在形象。或許我們只是一個普通人，不需要多麼花枝招展、光鮮亮麗，但起碼看起來要乾淨，不能讓別人覺得邋遢。即使大部分時間都待在家裡，若是長時間不修飾自己，不但自己看了難過，也要顧及一下伴侶的心情。

*

注重外在形象的同時，我們也要涵養內在心靈。如果只是一味透過外在的形象去裝飾自己，**不管外在的形象有多麼好，若是心靈不美，來往的人遲早有一天會認識真正的你。**

每個人對我們的印象可能都會不一樣，我們固然可以按照自己的喜好來打扮自己，但有時也要從別人的角度考慮一下。畢竟外貌是留給他人觀賞，而我們給別人的印象，往往是透過第三人給予的評價。

人生在世，不過幾十個春秋，我們所能留下的，除了讓別人記住我們的功績之外，也希望在他人心中留下好形象。

都說「沒有醜女人，只有懶女人」，其實不分男女都相同，只要願意打理修飾自己的外在，就能有個好形象，讓自己內外皆美。

名譽，也是珍貴的個人資產

心之小語

名譽對我們很重要，它是別人對我們的珍貴評價。一旦我們的名譽遭到破壞，有必要為自己爭一口氣。除了要積極澄清自己的清白，要大度寬容，展現美德。

或許我們不在乎失敗、不在乎孤獨、不在乎錯誤、不在乎失意，但有一件事還是要在乎，那就是「名譽」。

名譽是一個人的綜合展現，名譽的好壞往往與成功與否有絕對的關聯。一個眾望所歸、受人尊重的人必定會是個成功的人，一個遭人唾棄、讓人嗤之以鼻的人，則注定是個失敗的人。活在這個社會上，就必須注重自己的名譽。名譽的好壞，也是個人的無形資產。

新官上任三把火，趙縣官新到一個縣城上任，做了一些新的措施和改革。他希望百姓認為他

是個好官，然而新措施偏偏得罪了縣城裡的某些官員。

他們認為趙縣官年輕有為，如果讓他在父老們心中留下了好形象，反而令這些舊官員沒了立足之地。於是，他們想方設法排擠趙縣官。

明爭暗鬥下，很快就有一些趙縣官的負面消息傳出。不過面對種種流言蜚語，他坦然面對，又請在省城做官的親朋幫忙探查來龍去脈。經過一番調查，那些誣陷趙縣官的人被揪了出來，人證物證俱在。

這些人誣陷誹謗趙縣官，原本都應該被治罪。但趙縣官覺得只需小小警告他們，於是從輕發落。那些人從心裡感激趙縣官的大度，不但主動澄清趙縣官的污名，更對趙縣官擁護與愛戴了。

這位縣官不但維護了自己的名譽，還對小人大度寬容。

*

當我們遭到別人的誹謗、惡意中傷時，該怎麼辦呢？雖說「謠言止於智者」，但人云亦云的恐怕更多。**若是有人傷害我們的名譽，就有必要起而與之對抗，澄清自己的清白。**

如果在你身邊，有人對你不滿，散布一些小道消息，詆毀你在別人心目中的形象。此時不能任其發展，可以要求他們停止、澄清，或訴諸法律。但如果你願意的話，也可以處理後再原諒他們，他們可能會感激你的大度為人，從而變成你的追隨者。

小人不會無緣無故的去傷害一個好人，因為他們心裡也知道，什麼樣的人才是值得敬重。如果你被小人誣陷、敗壞了名譽，除了必須澄清自己的清白之外，還要讓他們明白你確實是一個好人。

＊

擁有良好的名譽，會為你贏得更多的發展機會。企業在招聘人才時，都會盡量避開劣跡斑斑的人，也更偏好讓已經在社會上備受敬重的人才加入團隊。

擁有好名聲，能讓我們在社會上、職場上生存更順利。不管到哪裡，都能受到別人的歡迎與喜愛，對於這樣的殊榮，相信是很令人快樂的。

就算你選擇了明哲保身，非淡泊無以明志、非寧靜無以致遠的生活，喜歡閒雲野鶴、無人打攪的日子，但自己的名譽同樣重要，否則你就不再是個「隱士」而是「人生逃兵」了。

奮鬥過的寶貴經驗，誰也拿不走

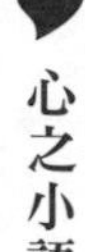

心之小語

我們努力奮鬥，並不是只為了要和他人一較高下。未來有天我們將能和那些天之驕子平起平坐，但一路奮鬥過來的我們，所擁有的比他們多更多。

我們之所以奮鬥，原因之一是讓自己和家人過更好的生活。大部分人成功的時候，都會駐足享受一下自己應得的，誰願意操勞了一生，卻沒有力氣享受功成名就的果實？

有個青年，他年少時就開始外出謀生，嘗遍了酸甜苦辣之後，終於有能力可以過想要的日子了。但他沒有鬆懈，仍然不斷努力著。

一個富商就問這青年：「你已經很富有了，可以過上更美好的生活了，何必還要這麼勞累呢？」青年笑著說：「我現在是可以每天遊山玩水，但那樣有什麼意義呢？跟以前的辛苦比，我現在不算累，每天下班想做什麼就做什麼，何等愜意！我現在就是在享受生活。」

富商對青年大為讚賞，富商的兒子卻問道：「爸爸，咱們家那麼富有，何必要那麼努力呢？」富商說，人應該未雨綢繆，「現在不努力，將來就可能有沒飯吃的一天。」但富商的兒子從小就過得很舒適，他不能理解爸爸說的話。

有天富商的兒子見到了青年，他說：「你奮鬥了十年才能與我平起平坐，而我不用奮鬥，看來我還是幸運的。而且我家很富有，一輩子也不用發愁。」

青年笑著說：「我奮鬥了十年是為了更好的生活，可並不是為了能和你在坐一起喝咖啡。的確，你出身很好，不需要奮鬥，但萬一那些錢財沒有了，你怎麼生活下去呢？你怎麼去創造財富呢？」

富商兒子一派輕鬆的說：「你現在不也是放輕鬆了，不像過去那樣努力打拚了嗎？如果某天你也一無所有，不也是照樣要淪落嗎？」

青年笑了一笑，說：「我和你不一樣。我奮鬥了十年，**在這十年裡，我經過了重重的困難和磨礪，將來再遇到風險我都有能力扛得下去**，你能嗎？」

富商的兒子陷入了沉思。

*

就像有些知識，如果我們已經學會，就一輩子受用無窮；如果等到情況緊急才要從頭學起，那是來不及的！有很多事情，只要我們經歷過了，就能學到其中巧妙，未來再遇到困難也不必擔心了。

青年的說法很對，有些體悟只有經過生活磨礪才會擁有。他用了十年奮鬥，並不是為了要和那些富家子弟平起平坐。他會比那些生來就養尊處優的人更睿智，更有能力面對風雲變幻的人生。

想出眾，就別從眾

♥ **心之小語**

人最怕的是人云亦云，完全成了別人的影子。
我們把別人當作無法超越的目標，就可能永遠步人後塵。

人就要與眾不同，這種逆向思維能讓我們出類拔萃。

與眾不同，不是指標新立異、不合群，或是與整個社會對立；而是不能當別人的「小尾巴」。我們要想出眾，就不能總是跟在別人身後，一味只想複製別人的成功法則。並且，還每天模仿不同的目標，如此，永遠成不了大事。邯鄲學步不成，反而失去了自己的本色！

*

我的家庭條件一直不好，所以我希望透過自己的努力，能成為一個真正的成功人士。

我努力了一、二十年，雖然小有成就了，但仍有很多不如意，我也在努力的去嘗試、去改變。

多年來，我的哥哥經常不厭其煩的規勸我，該買房子了、該結個婚了、該生個孩子了……雖然他總是說「這是為了你好」，但他何曾考慮到我的想法？

他的出發點不壞，然而每個人都有自己的追求。我嚮往的生活並不是一生為了孩子、房子而勞碌。為什麼呢？雖然大部分的人都那樣，但我想要的人生，並不是和大家一樣的平凡生活。

正是因為這分不甘平凡的心，我上學的時候才會加倍努力，在別人都翹課、戀愛的時候，我卻拚命讀更多的書。為了什麼？不就是為了改變將來的命運！

後來，我成功的擺脫了我不喜歡的專業，在我喜歡的事情上全心全意的前進中。**我相信，堅持一件事，付出的努力會帶來最大的成功！**

*

有長官曾經對我說：「成功最笨的方法，是重複不斷去做一件對的事情！」

我已經找到了自己的理想、目標，而且贏得了不少國家或地區的認可，已經做出了一番小成就，我怎麼可能中途放棄？

雖然我選擇的路途，不是很多人都認同，也有人冷眼旁觀，等著看我後悔。若是當初照著哥哥的建議，我的日子也可能平淡而幸福，但為什麼我不願意那麼舒適呢？**人一旦過早選擇了安逸，無非是自掘墳墓！**

自己選擇的前程買單，我就會繼續努力下去，即便現在還有荊棘要跨越，但我心中有希望，又何懼灰暗？

{ 第四章 }

想築夢要先踏實

千里之行，始於足下。

我們都擁有夢想和目標，但絕不可能一步登天。

每一個人都需要努力，

誰努力得愈多，誰才會愈幸運。

或許道路阻且長，

但持續努力不放棄，化阻力為助力，

別因為小小的滿足就怠惰，

我們終將成就一切美好。

今天是過去的累積，也是明天的踏腳石

心之小語

做好當下，別為現在的不如意而埋怨。

因為現在是過去的累積，為了明天不重蹈覆轍，就把現在的工作，當成一種修行！

父母都會希望孩子未來能有好的發展，但現在的社會中，大家對自己的生涯規畫都更有主見。如果從事的是自己毫無興趣的行業，難免會覺得「過一天算一天」。但這樣蹉跎歲月、隨波逐流，豈不是浪費了大好時光？

我們都知道，在工作中既不能好高騖遠，也不能裹足不前。在還沒有能力獲得更好的工作，或做自己喜歡的工作時，無論如何，都應該先做好眼前的事。

在這個競爭激烈的社會，今天就是明天的基礎，眼下的工作即使不如意，但可以用面對考驗和修行的心情，克服眼前的困難。

因為，當你未來從事自己夢想的事業時，其中必定也有一部分環節，會令你不怎麼喜歡。如果不趁現在鍛鍊自己處理不喜歡的工作，未來在實踐夢想時，恐怕會因為這一點，而弄得全盤皆輸。

*

阿凱、阿豪是同批入職的同事。雖然這分工作稱不上多有挑戰性、發展性，但阿凱還是很認真，每天的事情當天完成，交給他的任務都是能做得完善。為此，老闆很器重他，阿凱的考核也逐步攀升。

而阿豪因為感覺不到對工作的熱情，每天只是應付了事，常常開小差，或總是跟同事抱怨著公司和主管。不過短短一年多時間，阿凱在一次機會下調升管理職，而阿豪依舊消極的抱怨著為什麼加薪都加不到自己頭上。

人就是這樣，要在工作中生活、去體悟人生。大家都並不滿足於目前的狀況，然而要想將來過得更好，就有必要做好眼前的事。把今天的工作好好完成，不光是為了交差，也是為了明天作鋪墊。

即使略有不如意，但我們可以抽離負面情緒，把工作當成一種修行，有助我們排解心情。

試著把眼前該做的每件事，都做得完美吧！沒有人可以一口吃成胖子，也沒有人可以一步登

天，達成自己的心願。

為了有天能夠親手實現夢想、能夠擁有更愜意的退休生活、能夠在普羅大眾中爭得一席之地、能夠隨心應對未來的各種困難，何不在當下的工作中好好磨礪，為將來打造一片明亮的天空！

改變自己，就可能改變整個世界

心之小語

科學家阿基米德說：「給我一個支點，我能撐起整個地球。」要想改變世界，你必須從改變自己開始，把主動權掌握在自己手裡。

近年網路上流傳著一篇熱文，說在倫敦泰晤士河北岸的西敏寺裡有一面墓碑，碑上銘文十分發人深省，它是這樣寫的：

當我年少時意氣風發、不知天地之大，我夢想能改變世界，

當我年紀漸長，發現我改變不了這個世界；

於是我把眼光拉近，決定改變我的國家，

但它一樣不為所動。

當我進入暮年，抱著最後一點希望，試著改變我的家族，

但我發現，我也改變不了它。
如今我行將就木，才赫然發現，
如果最初我先改變了自己，
以身作則，我就可能改變我的家族；
有了他們的鼓勵與支持，我可能讓國家變得更好，
那麼或許，我真的可以改變這個世界。

關於這面石碑的說法紛紜，有人說它是主教的墓碑、有人說它是無名的石碑，有人慕名到西敏寺想親眼看看碑文，工作人員卻說沒有這樣的石碑存在……不管這個故事真實性有多少，這篇短文一樣振聾發聵：先從自己改變起，我們或許真的就能改變世界！

＊

千里之行始於足下，如果你的夢想十分遠大，實現它絕不是一蹴可幾的事。如果你發現阻礙太多，**有很多事實在太難改變，那麼可以換個角度，從改變自己開始！**

一個人的力量有限，螞蟻無法撼動大樹；但比起改變整個大環境，改變自己相對容易得多。

聰明的企業家們都是有遠大夢想的，並且他們都不是傻傻的單打獨鬥，而是懂得從自己做起，進而影響周遭的人，最後集眾人之力，一步步朝夢想靠近。

很多時候，我們無法決定誰來領導我們，也無法選擇天生的家境、無法挑選有怎樣的機遇……人生中不如意的事太多了，坐等大環境改變，對我們的夢想一點幫助都沒有。

我們要腳踏實地，在不斷的磨礪中成長，一點一滴改變自己。如使不如意，也別灰心喪氣，人生是個反覆歷練的過程，「玉不琢，不成器」，正是如此！

我們前期的努力，會成為後期成功的墊腳石。大器晚成的人不在少數，愈努力，才有愈幸運的可能！我們無法左右所有人遵照我們的意願，唯一可靠的方法，就是從自己做起！

小確幸就夠了？那你只會原地踏步

❤**心之小語**

如果我們過於安逸，只會養成了我們的惰性，有時候衣食無憂反而是不好的狀態，就像是富不過三代、自古寒門出英才。

早出晚歸奮鬥的確很辛苦，生活中每個小小的幸福片段也都值得珍惜，但如果我們就這樣心滿意足，反而是阻斷了追求夢想的原動力！

在芸芸眾生之中，有的人吃飽喝足就覺得別無所求，有的人則是不停在追逐夢想。於是，有的人很清閒，有的人很忙碌。社會上便出現了貧窮和富裕的差別，也出現了領導者和追隨者的區別。

為什麼人與人之間的差別那麼大呢？如果可以選擇，你是想待在社會底層，還是一人之下萬人之上？相信，很多人都想過優渥的享樂人生，但為什麼有的人命這麼好，錢在他們眼中從來就不是問題？難道說僅僅只是因為他們出身好嗎？

除了那些有幸出生在達官顯貴之家的人，大部分人都很平凡。有些家境比較清貧的家庭，不但難以給子女最好的教育，甚至他們可能很悲觀的教子女要認命；如果是這樣，那麼平凡的小幸福反而會是成長的阻力。

＊

阿洋出生在一個小山村中。村人心目中的幸福，就是日出而作、日落而息、結婚生子。阿洋不願意自己的人生也是這樣，但父母並沒有多餘的能力讓他追求高學歷。父母安慰他說：「爸媽不希望你什麼，只要你以後有碗飯吃就行了！」

面對父母認命的態度，阿洋下定決心要打破這一桎梏，他告別了父母，到外地闖蕩。白手起家的生活苦不堪言，但他沒有放棄，只要想到父母的眼神、想到村人一輩子單調的生活，就是逼他繼續前進的動力。

幾經辛苦，阿洋最後進入一家大企業貢獻長才，一步步成為管理高層，有能力讓孩子留學，也能圓了父母遊覽外國風光的夢想。要是阿洋只安於衣食無憂，他也不會有這番成就了。

＊

正是因為有夢想、不滿足，才催生了青史留名的各個人物。

比如釋迦牟尼，他原是迦毗羅衛國的王子，有個美麗賢慧的妻子，有著愛他的父王、母后，和等待他繼承的大好河山。他的父王為他準備了極為豪奢的生活，但釋迦摩尼沒有滿足於這種物質上的無憂狀態，仍然心繫人世間的諸般苦痛，毅然決然踏上修行之路，最終在菩提樹下大徹大悟，證道成佛。

追求夢想當然是要付出代價的，這可能表示，我們得放棄原本舒適的生活，去承受獨自努力的煎熬。但這分割捨未來會有收穫的，你希望此生走到盡頭仍沒沒無聞？還是希望能成為舉足輕重的人物，對世界有所貢獻？這就在於你的心態與選擇了。

為夢想努力的過程，就值得尊重

心之小語

別因為夢想遙不可及而垂頭喪氣，只有遠大的夢想才能督促自己加把勁再向前，最珍貴的，就是我們對夢想的堅持！

前段時間，人們又在為村上春樹歎息。

作為諾貝爾文學獎上的長跑陪客，村上春樹一次次的與諾貝爾文學獎擦肩而過。雖然二〇一八年的諾貝爾文學獎延後頒布，同年九月，村上仍然入圍了瑞典作家相關人士所設立的「新文學獎」。

對此殊榮，村上雖然回應了感到榮幸，但他也要求撤回提名，因為他只想專心寫作。

在二〇〇八年出版的《關於跑步，我說的其實是……》裡，村上就曾寫道：「不管全世界所有人怎麼說，我都認為自己的感受才是正確的。無論別人怎麼看，我絕不打亂自己的節奏。」只

要是自己真正想做的事，就該繼續努力下去。

*

村上春樹在文學上的成就並不亞於一些諾貝爾獎獲得者，讀者們喜愛他，也跟他有沒有得諾貝爾獎毫無關係。他這分努力創作的堅持，就值得人們的敬愛。

人生中充滿著很多變幻莫測的事，**最值得尊敬的並不是遠大的理想，而是你為了這個夢想努力的過程。**

一個人胸懷理想，更需要腳踏實地、付諸於實踐。只是天天妄想著「天上掉餡餅」，再美好的預期也會成為空談。即便不一定能達成所願，努力過了，就不會後悔。

最難得的是一輩子堅持夢想，夢想會讓我們克服困難與挫折，變得更加堅強！

只要夢想還沒有實現，我們就要勇於繼續前進、繼續攀登。「龜兔賽跑」的故事，大家都耳熟能詳，永遠不要對那些努力不懈的人掉以輕心，只要一個不注意，他們就能超越我們。

*

夢想的目標過於簡單，也不見得是一件好事。

如果夢想很輕易就能實現，接下來你會發現突然沒有了目標，一切來得太容易，你可能會開始認為，這有什麼好值得努力？一旦這樣想，很快就會陷入怠惰之中。

太簡單的夢想還不如給自己一個困難的夢想，如此，你才有奮鬥的目標。

你會一直處於成長、處於追求之中，若干年後帶來的感動會更令人敬佩！

如果你為了實現不了的夢想搥胸頓足，那說明你的夢想夠大夠遠，只是努力得還不夠！

別總擔心會吃虧，不付出哪會有機遇？

心之小語

要想捕鷹，得要先放出兔子。當老鷹降低高度，準備獵殺兔子的時候，你就可以上前把老鷹抓住。

這個世界上沒有無緣無故的成功，也沒有無緣無故的失敗，要回報一定要有付出，這個世界上沒有白吃的午餐。

機會有時是隨著付出而到來的。雖然不是所有的付出都能得到回報，但如果你一點都不肯付出，那肯定就沒有回報！

如果只是一味怕吃虧、總是擔心別人要占自己的便宜，雖然可能可以避免損失，但同樣也避開了很多可能的機會。

*

一個鄉下女孩到城裡找工作，雖然她手腳麻利、勤快老實，但是她身材瘦小、外貌普通，外表上看起來，似乎根本就不能勝任什麼工作。

她去家具店，人家嫌她長得瘦小；她去服裝店，人家嫌她面貌難看；她去書店，人家嫌她文化不夠；在城裡徘徊了好幾天，一直都沒有找到工作。

這天下午，她走到一家餐館前。這家餐館人來人往，生意好極了，女孩正在猶豫該不該進去詢問時，老闆娘走了出來。女孩硬著頭皮上前問道：「老闆娘，請問您這兒有招工嗎？我什麼苦都能吃，我的力氣很大，相信您用了我之後不會後悔的！」老闆娘看了看她，把頭搖得跟撥浪鼓似的，「妳外表那麼孱弱，哪裡是幹活的料啊，妳還是到別處找找吧！」

女孩好生失望，但她決定再盡力爭取一下，她開口說：「您看您店裡的客人這麼多，如果不再多一個幫手肯定忙不過來！要不這樣吧，我給您免費幹三天的活，做得好的話您就把我留下來，做得不好的話，我一分工錢也不要，您看如何？」老闆娘一聽，覺得這筆交易划算，於是，這位女孩就留了下來。

*

「吃虧就是占便宜」，有時候也是挺有道理的！

很多時候，我們在潛意識裡面認為，先付出的那個人一定是吃虧的，而且看起來特別的傻。

因為不是每次付出都有回報，萬一自己花費了時間精力，別人卻沒有同等回應，或者給予的不是自己希望的，那麼，豈不是做了大大的虧本生意？

但我們可以調整自己的心態。即使沒有得到實質的回報，至少也讓我們認識了這個人的真面目。吃一塹、長一智，這又何嘗不是一種學習？

要怎麼收穫，先怎麼栽。想要得到一件東西，就必須要付出，做出讓步和犧牲。想吃到可口的水果，就必須去種植一棵果樹，並且經常澆水施肥，精心照料；只有先誠心誠意的付出，才能有後來良好的回報。

運氣無法控制，但心態可以

心之小語

很多時候，我們都希望能事半功倍，然而也有時候，我們辛辛苦苦的付出，卻瞬間化為烏有。從天而降突生的變故，讓我們躲之唯恐不及！它們就像不定時炸彈一樣，給我們的前程帶來了波折。

為什麼我們辛苦付出，卻沒有得到相應的回報呢？

這可能是我們努力的方向錯了。若是選了錯誤的道路，當然難以達到預定的目標？但有時則是一時運氣不好，遭遇波折，這時只有耐心以對。

傻傻辛苦下去不一定會有用，這個世界並非誰最辛苦就能最幸運。努力不但要有訣竅、有方向，有時也會因為很多捉摸不定，而讓我們的付出打了水漂。

*

有不少出版社，在出書之前需要提出版企畫、大綱。

也有的出版公司和作者簽約時，完全沒有出版計畫，就全權獨家代理。

我就有一個很好的作者朋友，她幾乎完全靠稿費生活。

有一次，她和一家出版公司簽約了三本書，但這三本書的稿費要在出版後才能拿到。期間有其他的人知道了她這三本稿子，想以高報酬與她合作，她都婉言謝絕了。

她是一個講信用的人，一開始也很相信那家出版公司，但是，她簽約的那家出版公司卻未實現出版的諾言。

好不容易等了七、八個月，她那三本書還是沒有出版，她焦急不可耐，只好去詢問出版公司的朋友。誰知，出版公司的朋友只丟了一句：「這一類選題，社裡不讓我們做了，你再找其他的出版社吧！」她瞬間崩潰，要是知道到最後無法出版，當初何必和他們簽約？

但出版公司態度很強硬，只有強壓心頭的辛酸，繼續尋找下一家出版公司合作。

她那三本書，過了很多年都沒有出版。她常常後悔認識了當初的那家出版公司，要是當初不輕信他們，可能早就和其他的單位簽約順利出版了，可是，為了那三本書花費了不少時光，到今日都還未付梓出書！

＊

雖然成功有時候也講運氣，但我們不可急於求成。事情從付出到有成果是需要過程的！

我們要耐心的等待，儘量要求自己不急不躁，當然，前提是得找到靠譜的、值得合作的對象。有時候對你帶來最大傷害的並不是敵人，而是你過度盲目信任的夥伴！不對盤的合作夥伴帶來的阻礙，遠大於千方百計阻撓你成功的對手。

當然，努力是一輩子的事。即使已經很優秀，我們仍不能停止精益求精。我們愈努力，才愈能掌握解決問題的技巧，也才能迎來事半功倍的一天。

個人的能力，是在每天的努力中逐步提升的，只要不虛度光陰，每分每秒都用在有意義的事情上，那麼你會更有成就。

當然，並不是要悶著頭向前衝不懂得放鬆。勞逸結合很重要，懂得適時休息的人，才能有更好的工作表現！

工作，從來都不是為了別人

心之小語

別因為是在為別人工作就得過且過，我們可以學習的事還有很多，只要持續精進自己，有獨立自主的能力，我們就會是自己的主人。

很多人認為，為別人工作到退休，這輩子就不算有自己的成就。

難道我們的一生就只能為別人效力嗎？想要創業、想只為自己而工作，這個想法不難理解。但如果自身條件尚不允許的時候，當個上班族來累積實力，也是個不錯的方式。

並不是只有自己開公司才叫事業，在好的企業裡一展長才，同樣可以有所成就。我們這一生，最在乎的就是成就感，**為老闆工作，也不見得就是為人作嫁，抱著經營自己的心情，會讓我們在處理各種問題時受益匪淺**。

為人屬下，不必總認為自己是在為別人效力、操勞，不妨反過來想一想，我們在職位上努力，

其實都是為了自己。

在企業體系中工作，可以習得一些寶貴經驗。有些富家子弟衣食無憂，他們不一定需要工作，也沒有興趣工作；工作這麼累人，有舒坦的日子為何不過？

但另外有些人，即使家境富有，也願意為別人做事，從別人那裡汲取經驗，增添自己所知。如此，他會學到生存的本領，即使世事難料、家財散盡，他也有很好的生存能力，而不是淪落街頭。

日復一日的工作裡，其實能學習、能精進的地方有很多。只要心中明白一切都是為了自己，我們會心甘情願的付出更多心力。

*

有個做了幾十年木匠活的老木匠，因為敬業深得老闆的信任。隨著時間的推移，老木匠開始厭倦自己的工作，因為他覺得他總是在給別人幹活，自己除了那點工資，什麼也沒撈到。

他想自己另起爐灶，於是對老闆說：「我想辭職自己做些生意！」這個老闆雖然捨不得他，但拗不過老木匠心意已決，沒有辦法只好答應他的請辭，但條件是他再幫自己造最後一座房子。老木匠無法推辭，只好答應下來。

這個時候的老木匠，心思已經不在眼前的工作上，「反正是最後一件工作，又不是給自己做的，幹嘛那麼認真！」於是他選起料來不再嚴格、做起工來不再精細，能應付的就應付過去，他只想趕快把房子蓋完，盡早海闊天空。結果，他草草應付了事的房子，完全沒有往昔的水準。

房子建好後，老闆把鑰匙交給老木匠，並對他說：「這房子是給你的，感謝你這些年的努力，這是我臨別送給你的禮物。」

老木匠後悔不迭，他給別人蓋了那麼多品質上乘的房子，到頭來卻給自己建造了一座「危樓」，真是失策啊！**他以為只是為人工作，沒想到，這分工作其實是給自己做的！**

*

老木匠最初為了累積自己的經驗與聲譽，總是全心投入工作，也因此才擁有老闆的信賴，但當他想要辭職時，工作中失卻了本心，也讓自己後悔不已。

其實，我們所做的一切是為了自己。試想，如果我們不盡其所能，把手頭上的事做好，就無法擁有更好的生活，也沒有實力把握更好的機會。

為自己著想並不代表自私，為自己努力，是讓人生發揮最大價值的體現。也只有如此，別人才能真正了解我們的優點與才幹。現在努力的成果，將來總是會以某種形式成為生命中的報酬。為了自己而努力，即使我們還沒能當上自己的老闆，也會是自己命運的主人。

愈是阻礙重重，愈是發揮戰鬥力的時候

心之小語

這個世界為什麼有那麼多成功者，也有那麼多失敗者？為什麼別人似乎一帆風順，你卻處處受阻？阻礙我們成功的因素有哪些？

成功其實需要一些條件。一般來說，大環境是首要條件，這包括了社會環境和家庭環境等。我們所具備的天賦也是關鍵條件之一，如果個性上安於聽令行事，沒有自主判斷能力，也注定成為不了大人物。

此外，遠大的志向、目標的方向、努力的程度，都是成功的條件之一。不過還有一個**最主要、最關鍵的因素，就是我們對嚮往的夢想，能不能一直堅持下去。**

人只有面對自己真正感興趣的事物時，才會發揮極大的潛能。但是我們的夢想有可能遭到父母親朋反對、甚至是社會氣氛、大眾輿論的不贊同。

這時候，先不要灰心，真誠面對自己的內心，如果這條路是讓你覺得一切努力付出都值得，那麼你的堅持可能是對的、是正確的！**然而，想贏得更多人支持，我們也需要先做出一點成績！**

*

小楊剛剛從研究所畢業，雖然念的是個熱門學系，但他對烹飪有獨到的興趣。他的夢想其實是開一家餐廳，但這個想法讓父親十分震怒，母親則是一直苦勸他，拿了個這麼好的學歷，也能進五百強大企業工作，為何學不致用，偏偏要去開什麼餐廳？

拗不過父母，怕父親氣得一個中風，小楊先依父母的想法，找了一家上市大公司的工作。工作內容對他來說並不困難，考評也是中上，但他變得愈來愈不開心，覺得只是一天拖過一天。漸漸的，他變得憂鬱，只有在假日裡為家人準備一頓大餐時，他的眼中才又有了光采。

後來，他下定決心面對自己的夢想。他離開父母，到另外一個城市去生活，他跟父母說是被派到分公司，但實際上，他悄悄拿出積蓄，開了家小小的餐廳。

一開始，事情也不是那麼順利。他吃了很多虧，但是一路堅持下來，他發現自己在餐飲經營上的確有獨到之處。

過了幾年，他的小餐廳已經發展成知名的連鎖餐廳。隨著媒體報導開始愈來愈多，他才終於向父母坦白，自己這些年一直在為夢想打拚。原本還擔憂他多年沒升遷的父母，又是生氣又是高

興，這才終於認同了小楊追求夢想的舉動。

*

在贏得他人的認可之前，我們可能會遭受許多的挑戰。旁人對我們的支持度，往往會影響自己追夢的動力，但不要因為別人的否定，就認為夢想不應該存在。

每個人都有成功的可能，在這裡被壓抑，何不到另一塊地方呢？有時候換一條路去走，就會迎來新生！相信自己很重要，我們要讓阻礙成功的因素變為前進的墊腳石，讓未來一馬平川！

離開家鄉，是為了往新的機會邁步走

心之小語

「近朱者赤，近墨者也黑。」我們到什麼地方就可能成為什麼樣子的人！為自己選擇一個更可能成功的環境吧！

前面說過，成功需要一些條件，其中一個就是環境。如果我們所處的城市，環境並不適合實現我們的夢想時，何不離開現在的地方，去他鄉尋找新的發展機會！何不去尋找與自己心靈相適應的氛圍？

在不同的城市、不同的當地風俗下，我們會有很不同的體驗。世界這麼大，何不去看看，此處不適合，自有適合處。

很多到大城市追夢的人，雖然生活不如意，也不願意回到原先的地方。為什麼呢？因為他們怕失去奮鬥的激情，朝九晚五、成家生子……一轉眼，這一輩子就沒了！

很多人寧願在外打拚，也不想平平淡淡，他們雖沒有富二代優越的先天條件，但也想憑一己之力開創一片天地。**他們會挑選一個更有發展機會的地方來闖蕩，因為他們認為，只有在那裡，才能成為他們想成為的人。**

*

「你這樣是不對的！」

「孩子，不聽老人言，吃虧在眼前！」

「子承父業，你必須老實的待在老爸身邊，不然家傳事業誰來繼承啊！」

這些話，我們都聽過，雖然能理解這些話都是出於好意，只可惜，這些並不是我們夢想之所在！

夢想進軍演藝事業，好萊塢、寶萊塢、香港、橫店人才薈萃，如果能在這幾個地方大顯身手，一定會在影視圈赫赫有名。

夢想拿中國作家協會的茅盾文學獎，一定要到北京常走動，不光有作品，還要和作家協會的人關係好！

夢想福利好、生活環境一流、子女教育還是上等，且又是在亞洲，新加坡是他們理想的好地方。

水往低處流，人往高處爬。總是好還要更好，愈成功的人也會因此愈努力！物以類聚、人以群分，你想要成為什麼樣子的人，就要和那樣子的人多多來往，也要在適合的環境中多多尋找發展機會。

你選擇的城市，將決定你未來的命運，融入那座城市，捕捉住你的夢想吧！

借鑑他人智慧，才是最聰明的創業

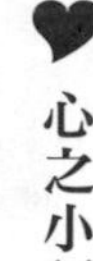

心之小語

無論男性還是女性，都會想擁有自己的事業。但創業、經營的路並不好走，最聰明的人，是懂得借鑑前人智慧的人！

參照前人成功的經驗，讓自己在事業上少走點彎路吧！

創業不易，許多創業者都失敗過許多次，但也因為這些失敗經驗，他們才能有最後的成功。參考他人的成功智慧，讓我們的事業更順利！

第一，要做自己感興趣的事。很多時候我們會迫於無奈去做某件事情、或不得不從事現在的行業，但這樣頂多只能表現平平。世界上有很多創業家，都是在做著自己感興趣的事情，才大為成功的。我們要找到自己的興趣所在。做真心喜愛的事，才能讓我們更有動力、發揮我們更大的潛能。如果遭到了別人反對，也不要輕易放棄。

「白衣天使」南丁格爾當初面對護士這個夢想時，遭到家人強烈的反對，她在家庭主婦、作家、護士這三種身分中，選擇了自己最感興趣的護士，開創了近代的護理事業。法國文學家巴爾札克，也不顧父母反對，堅持在文學上不停創作，才能成為法國現實主義文學大師之一。

第二，選擇合適的環境來創業。環境對個人事業的推進，往往有非常大的影響。在擁有別人支持的環境下開創事業會順利許多，至少，也盡量不要在整體大環境都反對你的時候，硬要逆勢操作。

這裡所說的環境，包括了你生活的環境，以及社會的環境；關鍵在於你打算做什麼事情。環境很重要，會影響事業的成與敗。

第三，除了自己，誰都靠不住。我們就不能把希望總寄託在別人身上，要做自己命運的主人，這樣一切得來的才最可貴。

第四，維護人脈圈。經營事業不是單打獨鬥，要編織屬於自己的人際關係網，與人來往時候要懂得彈性、懂得互助分享。人脈圈中，肯定會有一兩位你的貴人，適時有貴人幫助，事情會容易得多。同時，也要適時為自己儲蓄「人情」，但別凡事只看人情利弊，計較太多，可能得不償失。

第五，學會行銷自己。除了把事情做好，更需要讓別人知道。適當展現自己的優點、把自己行銷出去，可以找到發揮自我才華的更好機會，也更容易遇到對事業有助益的契機。

第六，有時候可以「半途而廢」。如果你選擇的路並不適合你或是當初的決策錯誤，你得有所決斷，降低損失。

你可以從頭再來，也可以選擇其他的路，但關鍵是不要把錯誤的路一走到底，還以為自己只是在努力堅持。做再多的事，不如做對一件事。如果是正確的選擇，就有必要堅持到底，堅持才會成功。

第七，想要成功，就要打破慣性思考。你需要跳脫規則、打破慣性的思維，才能找到另一條出路。但這並非意味著特立獨行、清高孤傲，而是在大家都習慣的遊戲規則下，有時候不按常理出牌，會讓你找到原本沒發現的機會。擁有更高格局的眼光，就不會陷在行業規則的死胡同裡。

第八，要有危機意識。即使事業發展得很順利，也不表示往後可以坐享其成。必須時時保持對業界的敏銳度，才能更穩固自己的事業、不讓對手趁虛而入。要成為難以取代的人物，才不會在業界裡輕易的被淘汰。

最後也是最重要的，**不要為了工作過早透支了你的健康**。事業要拚，也要適當的放鬆休息，畢竟健康的身體才是最重要的本錢。若是未來好不容易建立起一番事業，卻滿身病痛，無法享受成功的果實，那麼這些努力，又都是為了什麼呢？

擁抱新事物，永遠都不會太晚

心之小語

只要肯學習，多大歲數都無所謂，保持著開放的心，活到老、學到老，這樣的人生，每天都多姿多采！

前一段時間我讀了一本書，叫作《人生永遠沒有太晚的開始》，作者是摩西奶奶。這個摩西奶奶是誰？

她出生於美國一個貧窮的農戶家庭，七十七歲的時候才開始學習繪畫。她八十歲的時候舉辦了個人畫展，其純粹的藝術引起了轟動，成為了美國永遠年輕、永遠沒有放棄生活的代表！

人要變老，不是從臉上有皺紋、頭頂有白髮開始算起，而是從心開始拒絕成長、拒絕學習的那一刻開始的！

有的人，即使只是二十多歲的年紀，卻天天得過且過、垂頭喪氣，有如敲起了暮年的晚鐘；

有的人，即使是耄耋之年，也精神抖擻、活得有朝氣，這樣的人每一天都會是嶄新的！

*

我的一個老鄉，他在上海有了自己的事業，有了自己的家庭，他不放心老母親一個人在偏僻小山村裡的老家，於是把母親接到身邊，希望讓老母親安享晚年。

好說歹說，終於把母親接到了上海。但他覺得，老母親似乎和周圍的老年人合不來？別人都見多識廣，但他母親卻一個字也不認識。

他開始擔心，把老母親接來上海是不是適得其反，沒想到他母親爽朗的說：「不就是讀書寫字嗎？我年輕的時候沒有那個機會，現在機會終於來了，謝天謝地啊！」

他才發現，原來自己的母親這麼好學。她買了一本字典，天天鑽研，附近的上海老太太、老爺爺們也不再嘲笑她了，還教她識文斷句。

漸漸的，他母親在談話之間，常常能引用成語和典故了，不僅如此，還開始學著寫詩、在地方舉辦的詩會上發表作品。

他的母親懷著一顆學習的心，融入了身邊的生活，晚年的生活變得多姿多彩，整個人的氣質也年輕了許多！

*

人生永遠沒有太晚的時候，即便現在開始也不晚！怕的就是，我們自己以為來不及！

我們未來的路還很長，屈原《離騷》：「路漫漫其修遠兮，吾將上下而求索。」只要我們不停住腳下的步伐，路會走得更遠、更廣！

人生不必為了失去而追悔，只要保持向前看，永遠沒有太晚的時候！只要有年輕的心態，只要我們肯學習，就會擁有、掌握很多，我們失去了昨天，卻可以擁抱將來！

{第五章}

愈親近愈要珍重

親情與愛情，在我們人生中占了極重分量，
也是我們邁向成功最大的支柱。
選擇一個好伴侶、參與孩子的成長，
同時也要珍重自己，情感上的平衡，
能給予我們不斷前進的動力。
人生一路走來，好在有我們最親愛的這些人，
與我們相互扶持！

愛情的模樣，和你想的不一樣

心之小語

愛情是什麼樣的？是山盟海誓、浪漫一生，還是願得一心人、白首不相離？最雋永的愛情，可能跟你的想像很不一樣！

對於愛情，我們總是有許多美好幻想，在追尋愛情的路途上，有時都分不清，我們愛上的會不會只是一抹幻影。

可是愛情真正的模樣，可能跟你想得很不一樣。

你以為真愛難尋？其實真愛就在生活中的點點滴滴裡。

現在的社會裡，感情事看似比以往複雜得多。可是，愛情不是簡單的你喜歡我、我喜歡你，那些花前月下浪漫、想每分鐘都膩在一起的感覺，只是熱戀時才有的狀態。

激情總會在現實生活的風吹雨打中逐漸褪去，剩下的是以後漫長生活中的相互扶持。我們要

找到性格相融的伴侶，關係才能長久。

真愛都是平淡、質樸中見真味的，需要我們用心去呵護與感受！不過，一見鍾情真的也存在。

關於一見鐘情是怎麼一回事，在生物演化上有其一套理論。一個溫柔多情的眼神，一張呼喚出記憶片段的面孔，電光石火間，就能讓青年男女瞬間喜歡上對方；大腦釋放出戀愛的訊號，覺得對方就是自己命中注定的那個人。

只是，**一見鍾情的愛，來得快去得也快，在往後相處的過程中可能會發現，對方並不是自己想像中的完美對象**。

*

「門當戶對」這個詞，現在聽來似乎很陳腐、封建，但愛情的確要講究門當戶對。

這裡的門當戶對，指的是雙方的思維和狀態。一個從小養尊處優的女孩，與一個白手起家的男孩，他們的人生觀、價值觀不會相同。一個喜愛陽光戶外、從小打棒球的男孩，與一個體質嬌弱、吹風就要感冒的女孩，即使彼此吸引，但在未來的相處上，也會非常辛苦。

年少時，我們都是以純真的心面對愛情，深深相信愛情比什麼都偉大。但是等我們長大了就會發現，最強悍的其實是命運與現實！**兩人的思維方式不同，會對很多事情的理解相差甚遠**。

雙方的思維差距會如埋伏在前方的地雷，悄無聲息的突然將愛情炸得粉碎。熱戀期後的感情經營，需要彼此的理解與接納來延續，這也是挑戰最大的時候。

況且，愛是無法徹底改變一個人的。

真愛或許可以讓懦夫變勇士、粗心鬼變細心人，但永遠別奢求對方會完全按照你的意思改變。因為，你當初愛上的可能就是對方獨特的個性！

*

為什麼愛得那麼深、相守多年的有情人也可能躲不開七年之癢的發生？

有種說法，是人在熱戀時，只要見到對方，大腦就會分泌「快樂激素」多巴胺，但是隨著交往時間愈來愈長，對方帶給自己興奮與快樂的情緒逐漸減少，也使感情逐漸淡去。

但與其歸罪於多巴胺，不如說**長時間相處，可能會讓我們把伴侶當成了理所當然的存在，而慢慢忽略了感情關係其實需要永續經營**。

聰明的愛侶們，會源源不斷的為愛情注入新鮮的內容，營造珍貴的兩人時間、對彼此的責任、天倫之樂等，如此，愛情才能常保新鮮，才能實現「少年夫妻老來伴」！

*

我們會都渴望從一而終、永恆不變的感情，但很多時候，我們的心也經受不住平凡的歲月。

畢竟彼此都只是個普通的人，不是完美的神，或許曾經非常相愛，也可能改變心思、移情別戀。

如果有幸遇到一個處處讓你感動的人，就用心去留下對方吧！如果緣分已盡，那又何必強求。但兩人分開千萬不可感情用事，要理智對待、理智決定！

常聽有人在心傷時說：我不會再愛上別人了。在那個當下的心情固然是如此，但事過境遷後，遇到美好的緣分時，還是要緊緊抓住！

真愛，一生不會只有一次。只要在每段感情中，都專心一意、盡力而為，不辜負對方的付出就可以了。如果機緣巧合，走進了婚姻，就認定對方是自己的唯一吧！這樣才是真愛！

如意郎君，手到擒來

♥心之小語

俗話說：「男追女隔層山，女追男隔層紗。」尋覓好對象，女生主動出擊，成功率似乎比男生高多了。

其實在愛情中，女生不見得就要被動。若是有機會認識了心儀的對象，就算對方有點木訥，妳更該好好把握這樣的他！

在一般人習慣的思路裡，大多都認為，一段感情的開始，應該由男性先主動。男士就應該臉皮厚，女性就應該矜持！

然而，在現實生活中，許多優秀的男士其實反而是很被動的，他們也會不知該如何展開攻勢，他們也會擔心被拒絕。在這種情況下，如果心儀他們的女性也不知該如何放下身段、打開局面，很可能就錯過了一段良緣。

＊

靠人不如靠己，女生應該如何追到如意郎君呢？

比如《射鵰英雄傳》中，郭靖和黃蓉的感情中，黃蓉來得更加主動，也處處為郭靖著想。在愛情裡自私，再正常不過。只要不是用傷害他人的手段成就自己，遇到喜歡的對象，千萬別讓機會溜走了。不要等到喜歡的人和別人走進了婚姻殿堂，才來長吁短歎、黯然神傷。

為什麼一個好男人好像喜歡自己，他卻始終不開口？

好男人一般是不急於婚嫁的，因為他們可能花更多心思在經營事業。相對的，女性生育有先天的生理限制，如果妳希望早早開始經營家庭，若不主動一些，青春年華就會飄然逝去。

＊

你有沒有發現，有些女性，對於愛情婚姻有非常浪漫又不切實際的幻想，她們一直在等著心中最完美的那個人來找到自己。對於主動追求她們的人看不上眼、對於自己心儀的人又開不了口，最終，只能一次次的錯過緣分。

不要總是等待著對方開口向自己表白，萬一別人心中沒有你，所有等待都只是一場空！

或許女士們很容易害羞，但也並非所有的男士都那樣粗線條、主動出擊的。有些有修養、有內涵的男士，他們心思纖細，但很少花費時間去談情說愛，抓住了他的心，就可能成為他的唯一。

有些男生膽子特別大，很輕易就能說出表白的話。但如果當你們之間感情生變，他或許也是一轉頭就能夠對其他女生表達愛意呢！戀愛中人都喜歡對方哄著自己，但如果對方太精於此道，是否也有些值得擔心呢？

我們都希望戀人對自己專一。一個總是在追逐愛情的人，可能比較難對某個人專一，但如果你選擇的對象有些木訥，那麼恭喜你，他可能是個認定了你，就永不改變的人！

理解與包容，才能成為真正的好伴侶

心之小語

很多時候，陪伴我們最久的人可能就是我們的伴侶了。我們的伴侶能成就我們，也會毀了我們，如果伴侶能夠善解我們的心意，那就再好不過了！

俄國大文豪托爾斯泰出身顯貴，和妻子結縭近五十年。照理說，兩人已經相守如此之久，應該感情彌堅，可是，他為什麼在一個風雨交加之夜，毅然離開殷實的家庭，最後冷冷清清的一個人在小車站裡往生西天呢？

是他不夠愛家嗎？是他的精神不正常嗎？

托爾斯泰晚年追求平淡質樸的生活，現實中的諸多不如意讓他義憤填膺。例如對沙皇專政的沉痛哀思、對人民疾苦的無力回天、對思想的抗爭嚴重受阻、對革命的殘酷失敗……但這些客觀的社會因素，並不是迫使托爾斯泰離家出走的主要原因。

想想，一位疾病纏身的八旬老人，為什麼在此時毅然捨棄「家」這個溫馨的港灣，風燭殘年還要在外飄搖？

＊

一代大文豪能抵擋住社會上的各種壓力，但他的婚姻生活卻十分辛苦。有評論說，他們是一對既相愛又互相憎恨，無法分開又難以共處的伴侶，如此艱難的婚姻關係，即是寫出了《戰爭與和平》的文豪，也一樣難以面對。

托爾斯泰的妻子索菲亞是個愛計較的女人，雖然她曾經給予托爾斯泰最無私的幫助，但是，她常常在托爾斯泰的耳邊嘮叨個不停，也對他的人際來往充滿妒意。索菲亞嫌棄托爾斯泰的捨己為人，也對托爾斯泰生活中的一些不良習性大加指責……

婚姻中的問題，常常都是事出有因，畢竟托爾斯泰與索菲亞的思惟模式相差太遠，兩人溝通上也有問題。托爾斯泰是個極富創造力、自我中心的天才，於是妻子在精神層面無法與他對等。又比如他中年之後的思想，開始憎惡私有財產，甚至要完全放棄自己的版稅，如此不食人間煙火的理想，又如何能被操持家務的主婦所接受。

即使托爾斯泰臨終之前，竟然不願再見已經相伴四十八年的妻子一面！

*

在婚姻之中，對彼此的理解、包容，是經營感情的重要因素。如果已經志不同道不合，還缺少理解和包容，那麼結果將會很慘澹！

在人海中相遇已經不容易，有緣的人才會在一起，我們和伴侶在一起時，該做的不是相互挑剔，而是彌補對方的不足。

這樣，即便現實多麼辛苦，外面多麼腥風血雨，你們依然能夠支持彼此、守護彼此、屹立不搖！

即使分道揚鑣，也還有美麗的回憶

心之小語

這一生我們可能會和許多人相遇、相知，但不見得能陪伴彼此走到最後。這樣的緣分仍然值得我們放在心中好好珍惜。

我們總是感慨，緣分來得太遲而走得太快。我們會與一個人因為心動而交往，但隨著時間、隨著外界因素，我們可能會覺得彼此愈來愈不合適，最終成為了陌生人。

茫茫人海中，要遇到知心人本來就不容易，一旦分開，這輩子可能就沒有機會再在一起。之後，**彼此過的是各自的人生，過去的情誼，就把它當作美好的回憶吧！**

*

有一位情竇初開的少年，經常為愛情不如意而懊惱不已。他在交友平台上尋尋覓覓，見了很多對象，卻都不歡而散。那些對象與他見面之前，經常甜言蜜語，也說如果不合適可以做朋友，

可是自從見上一面，連朋友也做不成了。

少年為此耿耿於懷、心中難過，他不明白，為什麼有的人相見之前說得那麼娓娓動聽，相見之後卻翻臉不認人了呢？

其實，相見之後之所以不再往來，很單純就是因為對方感到不合適。雙方隔著一片螢幕認識時，我們所了解的只是對方的一小部分，感受也不真切。不管之前說得如何動聽，等到親自見面，一旦有一方感覺不合適，就此斷了聯繫也是很正常的事。不過，也有些人在交友平台上，反而更能真實做自己。不受外貌等現實條件所限，用最真實的面貌與人來往。

＊

阿書與阿音，是在交友平台上認識的，彼此的思想很接近，也非常聊得來。他們覺得彼此心有靈犀、常常聊天，在阿書寂寞的日子，阿音陪著他、開導他；在阿音難過的日子，阿書也會打電話安慰她。漸漸的，雙方有了更深的默契。

阿書想見她一面，他不希望這段情誼只能存在想像之中；但阿音並不願意，就連照片也不交換，她說見面恐怕不好，或許彼此不適合當戀人，但作為遙遠的知己也未嘗不可。

阿書心想，或許阿音認為她的外貌不好看，所以才不願意和他見面，但是兩人一年多來相處感覺十分投契，若想更進一步，總是必須要見面的。

經不住阿書的再三請求，阿音最終鬆口答應。她說見面之後如果感覺到不合適，彼此就做朋友吧！阿書忐忑的來到相約的地點，心裡想像著各種可能性。當他的想像力正無邊無際狂奔之時，一個熟悉的聲音叫喚著他的名字。

阿書抬頭一看，只見一位娉婷少女站在他的面前，漂亮得讓他說不出話。見到他呆傻的表情，阿音卻綻開了一個苦澀的笑容。見了這一面，阿書才知道，阿音早就決定到海外攻讀學位，所以遲遲不肯與自己相見。

*

後來阿書突破種種困難，終於能和阿音長相廝守，不過，那又是另一個故事了。只是，現實生活裡的感情發展，不見得都能像阿書和阿音的故事那樣，有這麼美好的結局。

很多時候，相見之後只有兩種結果，其一是滿足了好奇心，從此就再無來往；其二是對方出乎意料的讓自己喜歡，但因為客觀條件不允許，有緣相見卻無緣相親。

也或許見面之後決定交往，卻在交往的日子中，發現更深一層的對方，不是自己理想中的良人。我們不能只看中對方的相貌，對方的德行、品德也要達到一定的層次。

如果最終不能陪伴彼此到最後，那麼將這段情誼默默保留在心中，又未嘗不是一件美事呢？

過得比他好，這就是最好的回答

心之小語

在感情中被別人拋棄，有時候是別人的錯，有時候卻因為我們自己不夠好。這時候，就站起來重新再振作吧！不管對方曾經怎麼看我們，未來過得比他好，就是對方做了錯誤選擇最好的證明。

一個人拋棄了你，這是為什麼呢？很可能因為，他認為你不是最優秀的，或是你還不能夠滿足他。

當這種事發生在我們身上時，生氣、抱怨都不會改變事實。此時，反而更要振作。

要比拋棄你的人過得更好，未來他才可能改變對你的想法。若是沉浸在失意中，只會讓他慶幸遠離了你！

＊

阿梅和陳倫相愛了，但是他們在一起生活了幾年，日子都過得很拮据。阿梅不想再過這種捉襟見肘的生活，滿心期望陳倫有所長進，阿梅就半撒嬌半玩笑的對他說，如果他一年之內不能達到年薪百萬以上，她就不理他了。

陳倫認為阿梅只是在說笑，並沒有放在心上。一年之後，陳倫的收入並沒有增加太多，阿梅毫不猶豫的離開了陳倫。

陳倫這才知道，在阿梅眼中，金錢比情感更重要。阿梅很快就另有所愛，而且對方十分闊綽。陳倫知道之後又生氣、又難過，雖不想相信阿梅是這種人，但事實卻擺在眼前。

陳倫無限懊惱、自怨自艾，好在一段時間之後，他毅然振作了起來。

轉眼十年過去了。此時，阿梅已經結婚，陳倫也有了家室。

有一天他們偶然碰面，兩個人見到對方都驚呆了。阿梅變得邋遢憔悴，只是個不起眼的中年婦女，陳倫卻精神抖擻，一幅即將大展長才的模樣。

原來，阿梅離開陳倫之後很快就結婚了，但阿梅並不幸福，她的丈夫雖然富有，但婚後才展露出個性上的缺陷，阿梅在家經常遭到暴力對待。而陳倫在消極了一段時間後重新振作，為生活找到了目標，也在發展生意時遇到了很好的合作夥伴，這位夥伴如今已是他的妻子！

和阿梅分手後，陳倫要求自己要愈過愈好，他的生活確實也向更好的境界邁進。而阿梅則悔

不當初！

＊

「水往低處流，人往高處走。」要是陳倫不振作，如今就只能被阿梅說風涼話了。好在陳倫夠爭氣，阿梅也只能悔不當初。

我們一定要比拋棄我們的人過得更好，不讓他看輕了我們。比他過得好，能讓我們心裡更踏實；比他過得好，也能讓自己放下和他之間的芥蒂。

你弱，他會嘲笑你；你強，他才會崇敬你。

人活著，就應該讓那些瞧不起你的人另眼相看！

單親家庭，同樣能給孩子滿滿的愛

心之小語

教育孩子，是父母的天職，雖然現在不少國家或地區的離婚率越來越高，但單親家庭一樣能養育出品德優秀的好孩子。

前一段時間，有位大學同學離婚了。他平時工作在外，疏於對女兒的照顧，離婚後，他才開始學習為父之道。他多方請教親友，也找兒童心理發展專家諮詢，學習如何在單親家庭的環境下，培育女兒自信、自立等特質。

這個世界上最偉大的愛是什麼？父母親對我們的愛最無私。

從我們出生的那天起，就備受母愛的滋潤和關懷，母愛溫柔、細膩，而父愛教導我們獨立、自強與自信。父母的角色有助於孩子建立成長方向，在孩子四到十二歲的年紀，親情對孩子成長的影響很大。

即使因為一些不得不然的因素，有些家庭最終可能變成單親家庭，但父親或母親對孩子的愛仍會一樣深，孩子仍然可以得到滿滿的親情。

＊

有位年輕的父親，他觸犯了法律，即將被關押起來。在臨走之前，他心中最掛念的就是七歲的女兒。女兒對爸爸即將入獄的事懵懵懂懂，未來九年將在女兒的成長中缺席，這該怎麼辦？這位父親滿懷熱情的給女兒寫了一封信，告訴女兒，他不得不和她玩一場「捉迷藏」，希望女兒能等到十六歲生日的時候。

這封信中，滿載了爸爸的無奈，以及對女兒的關懷和愛！在這九年的時間裡，想必女兒會慢慢了解爸爸為什麼不在，只是此時爸爸的心情很複雜，他希望在女兒心中留下愛的印象，以及充滿希望的活著，才給女兒寫了那封信。

這個小女孩，未來長成了一個有愛心、獨立、在社會上廣受歡迎與尊重的成功女士。這個小女孩就是我的一位朋友，在成長過程中，她父親雖然不能時時陪伴在身邊，但也盡力一直讓她感受到關懷與支持。

＊

一位好家長，除了會把自己一生的最好留給子女，他更不會對子女放任、過度溺愛。

就算是單親家庭，他依然會盡其所能，給予孩子最好的成長條件。

好家長有自己的一套教育方式：他們會與孩子保持溝通；他們會抽出時間與孩子玩耍；他們會找到孩子的天賦並全力培養；他們也會努力讓孩子養成優秀的品格。

比如中國近代思想家梁啟超培育出了梁思成、達文西的父親讓他充分發展他的繪畫興趣、莫札特的父親放棄事業全力培育孩子的音樂天賦……誰說只有好母親才能培養出色的孩子呢！

人生是場馬拉松，比的不是起跑而是耐力

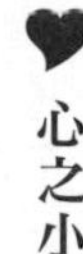

心之小語

人生之路就像是一場馬拉松，重要的不是誰搶先出發，關鍵反而在於，誰能儲存更多能量，在這場馬拉松之中跑得更遠。擁有了奔跑一生的能力，就能笑到最後！

很多父母都怕孩子輸在起跑點，從小就為他們安排極為充實的生活，上課、補習、學才藝，每天都把時間排得滿滿滿。但是，心急吃不了熱豆腐，**如果不斷逼迫孩子，往往欲速則不達，更有可能會適得其反！**

我有一個親戚，他的孩子從小到大，每天都要學習十幾個小時，剩下的時間就是吃飯、睡覺，幾乎沒有娛樂！

孩子在小學時在班上名列前茅，拿了很多獎項，這讓他父親很自豪，認為自己的教育方式效果很好，所以，一直堅持那樣子的教育方式。

到了上初中時，孩子常常會突如其來的大吼大叫。有朋友對他說，這是孩子的壓力太大了，父親卻認為，不過是孩子在功課上遇到難題，發洩一下罷了！

高中開始，孩子出現厭學、翹課的情形，父親怎樣嚴厲糾正都沒有效果，只得帶孩子去看了心理醫生。醫生說，孩子一直處於壓力超過負荷之下，得不到放鬆，叛逆和逃避只會更加嚴重。

這種高壓教育的結果，高中三年，孩子的學習成績不是多麼理想。高三那年還生了一場大病，並沒有考上父親滿意的知名大學，而是吊車尾上了一所普普通通的學校，讓這父親後悔都來不及。

*

孩子在成長的過程中，有各方面的需求。我們應該在孩子相應的年齡階段裡，陪他們做最適合的事。**萬物都有生長的規律，揠苗助長只會有反效果！**

孩子的成長是個需要誘導的緩慢過程，很多父母都太積極，急著「望子成龍，望女成鳳」。但這樣受傷的不僅僅是孩子，也會扼殺他們對學習的興趣。

父母應該陪伴孩子一同成長，讓他們多方嘗試，認識世界、尋找興趣，慢慢引導他們去學習喜歡的事物，而不要陷入了「贏在起跑線」的偽命題。

在一支泰國短片《豆芽兒》中，小女孩想種植豆芽菜，媽媽就帶著她嘗試。雖然失敗了幾次，

但媽媽總是想出不同解決方法，並說：「我們試試吧！」

一次次嘗試，好不容易養出了白白胖胖的豆芽菜！媽媽問道，要不要種點別的呢？這次換女孩笑著答道：「我們試試吧！」

雖然她們的家境不好，但媽媽從小培養出女兒的好奇心和解決問題的精神。後來，這位女孩拿到學位，並到瑞典追求自己的事業。

*

孩子在三歲的時候應該有三歲的遊戲，五歲的時候應該有五歲的快樂，七歲的時候應該有七歲的自由，九歲的時候應該有九歲的選擇，**我們要給孩子一個好起點，但並不是在後面催促他一個勁的向前衝，路邊的風景很重要！**

父母應該教會孩子，如何去面對成長中的坎坷。這樣，他們跌倒時，會知道該怎麼爬起來、該如何克服問題。而不是如同溫室裡的花朵般，經不起風吹雨打，長大後不過遇到一次波折，就灰心喪志、一蹶不振！

凡事順著孩子，不是愛而是害

心之小語

身為父母，我們可以為孩子付出很多，也會想方設法為孩子鋪平未來的道路，但凡事都以孩子為優先、把所有的重心都轉移到孩子身上，那就錯了！

有了孩子之後的生活，是甜美又辛苦的。看著小人兒慢慢長大、愈來愈懂事，爸媽們心裡一定都非常感動。但另一方面，父母們大多都忙得像陀螺一樣，白天要工作、晚上回到家不但要照顧孩子，還有許多家事要做，到了週末則要陪孩子去玩，或是上各種才藝課程，種種辛苦不在話下。

有些父母不但生活重心全都放到孩子身上，更事事都順著孩子，久而久之，養成了孩子驕縱的性格。

*

有位前同事，她和先生新婚的日子過得蜜裡調油，先生事事將她捧在手心，她覺得自己就是世界上最幸福的人。

可是有了孩子之後，夫妻之間摩擦愈來愈多。生活重心完全轉移到孩子身上，不但兩人之間漸漸變得冷淡，再加上他們對孩子的教育理念南轅北轍，她的先生將孩子視若珍寶，溺愛得過了頭。

比如孩子和其他小朋友吵架，千錯萬錯不可能是自己家的孩子有錯，他必定指責別家的小朋友和父母；幾次過後，其他小朋友都不願意和他們家的孩子玩了。

漸漸的，他的孩子愈來愈孤僻，脾氣也愈來愈大，只要父母不順著他的意，他連父母都敢大小聲。同事又氣又悔，但她先生依然寵著孩子，旁人看了，只能三聲嘆息。

*

每一個人都是獨立的個體，在家庭關係當中也是如此。我們要本著友愛、尊重、平等的家庭關係，共建充滿人情味的家庭氛圍。不然，家庭關係錯位了，不光你會很勞累，你的孩子將來也會很脆弱。

在動物星球節目中，我們常可以看到，動物教導牠們的幼崽子時，都會培養牠們獨立生存的能力。要讓牠們知道，生存不易，若是掉以輕心就會沒命。

我們也都希望孩子將來更好，俗話說「慈母出敗兒」，愈是溺愛，孩子就愈不像話，惹來的**麻煩也就愈多，這些對孩子的未來其實害處大於益處**。

我們應該讓孩子學會感恩，在做家務的時候，可以讓孩子一起做；在筋疲力盡的時候，可以讓孩子給你捶捶背、捏捏腳。

讓孩子從小學會尊重勤勞、有想法的人。讓孩子明白生活中的點點滴滴得來不易，他們就會備加珍惜！

讓孩子品嘗人生的酸甜苦辣，才能更感謝父母的用心良苦，才會立志並成為一個有作為的人！

為了親愛的人，更要珍重自己

心之小語

父母不能陪伴我們一輩子，我們的戀人、同學、同事，或其他的親人、朋友，也會日後慢慢的離開我們。只有一個人會陪我們到最後，那就是我們自己。

或許因為健康、生涯規畫，或是人生際遇，曾經同行的親朋好友，都會先後離開。**我們在彼此生命中都是過客，除了好好珍惜相處的時刻，我們更要學會疼愛自己。**親愛的家人、珍惜的朋友，我們也都希望能和他們長長久久相守。但「天有不測風雲，人有旦夕禍福」，學會照顧自己，當身邊的人要離開我們時，才不會擔心牽掛。

*

我們都聽過類似的故事，丈夫在出差途中車禍意外去世，曾經嬌養在家的妻子傷痛欲絕，每天以淚洗面，她不光是懷念丈夫，更不知道接下來的日子該怎麼辦？

以前，都是丈夫在照顧她，十指不沾陽春水，她突然不知道自己接下來該怎麼活。她可能想過輕生，但最終還是擔起家庭重擔，她相信，丈夫會希望她好好的活著！

很多時候，事出突然，**我們不得不和一段親情、或友情、或愛情告別，但我們要調整心情，往好的方面思考，事情就有可能向著良好的方向發展！**

對自己好，真的很重要！這並不是讓我們凡事以自我為中心，而是在考慮他人的同時不虧待自己！

如果一個人真的愛你，他會希望你是積極的、健康的、向上的，你只有對自己好，才能回報他的希冀！

對自己好，沒有人比你更懂你自己！對自己好，以後的風風雨雨你能更從容的面對！

在親愛的人離去後，很多人會大哭一場。但是，有的人在對方離去後，表現得很淡定，給自己買最好看的衣服，吃最想吃的食物，去最想去的旅遊景點！這樣做，是為了不讓關心你、愛著你的人更傷心！**對自己好，也是對牽掛著你的人好！**

對自己好，也要更愛現在仍然和你相伴的人，以及關懷社會上其他需要幫助的人。對自己好，讓你不只有個健康的身體，還有一顆善良的心靈。向前無愧於天地，向後無愧於人生！

如果心愛的人，無法和你走到最後

❤心之小語

人生中有很多變幻莫測，本來你倆永遠在一起，但是，計畫跟不上變化，一個不留神，你們就可能天人兩隔。

很多人都羨慕、嚮往在北京的生活，認為住在首都，一定是最幸福的！但是一國首善之都，競爭激烈、物價房價之高，是其他城市的人們難以想像。

許多人滿懷信心的來到北京，希望能在北京紮根，他們奮鬥了很多年，也沒有歸屬感，於是，又紛紛逃離了北京。

北京，每天都在上演著進城和出城的悲喜劇。於是，也產生了人與人的感情糾葛。

＊

他們本來是兩個不認識的人，因為各自的夢想，在北京有了一面之緣。他成熟、穩重，她溫

柔、漂亮，加上老爸老媽都期待他們早點成家，他覺得彼此注定是一對！

他們度過了一些浪漫的時光，雖然過著平凡白領的日子，但只要有彼此，他們就很知足！假期的時候，他們會一起出去旅遊，北京的名勝古跡、各處美景都留下了他們歡快的影子。

在還沒遇到她時，他以為自己可能要單身一輩子。現在的他已經習慣了兩個人的生活，每天有她陪著說說知心話，就是最幸福的的時刻。

在北京生活了幾年，他們還是沒有能力能在北京有自己的車子、房子，而且她由於學歷低辭職了，他要肩負起照顧她的責任。

雖然經濟壓力重了點，但每天回到家裡，有她煮上熱騰騰的飯菜，他覺得這種日子也不錯！他們一起看喜歡的電視劇，一起在公園愜意散著步……他們有很多共同的愛好，雖然有時候也會發生爭執，但很快他們就會重歸於好。

只是，她的健康開始出了問題。他們去了不少醫院求診，每家醫院的診斷結果卻都不同。他白天要上班，晚上回來照顧她，就算辛苦但他義無反顧，因為只有她最懂他，只有她才樂意傾聽他的喜怒哀樂。

北京是個不會同情弱者的城市。他開始覺得，她回老家休養可能會好得更快。她也知道如果繼續留在北京，只會成為他的累贅。

雖然彼此有不捨，但她的病情始終不見起色，他們終於達成了約定，他在北京好好上班，她回家好好調養。

那時，他還天真的以為她休養一陣子就能痊癒，不久後他們就能再見。

她走後，他更加牽腸掛肚，每天都要電話問候過才能放心。但她接電話的次數愈來愈少，電話中的聲音也愈來愈不對勁。

終於，有一天，接電話的是她的家人。他們帶著濃重的悲聲對他說，其實她是癌症末期，現在已經不在人世了。

他不能接受這個消息，接下來的日子總是情不自禁的流淚，回到北京家裡，看到她曾經用過的東西，痛徹心扉的回憶更是止不住的湧上心頭。

他的痛苦無法排遣。他們曾經去過的地方，他不敢再去；她曾經愛吃的菜色，如今讓他食不知味。他後來去了她的家鄉，在她的墳頭哭了幾天幾夜。

她的病情她自己心知肚明，卻為了不想讓他擔心，一直瞞著不肯說。他沒辦法再習慣一個人的孤單，有想說的話該跟誰說？誰來分享他的喜悅、開慰他的煩憂？他掙的錢給誰花？誰再陪他到處旅遊、散心？

*

人最怕的是，你好不容易遇到了一個知心人，但某一天卻又與她陰陽兩隔，處在了不同的世界。

我們祈求的也無非是，孤獨的時候有人陪，想說話的時候有人願意傾聽，煩惱的時候有人樂意為我們解憂！

最讓人難受的，是那個瞭解你的、懂你的人已不在。

有時候，一別就是一輩子；有時候，說再見就是再也不見！

人生中有很多捉摸不定，但我們哭過了，痛過了，還得要再站起來！

誰會和你走到最後？

一個人的孤單，一個人的落寞，一個人的酸甜苦辣，最終都要往自己肚裡吞！

我們雖然渴望天長地久的緣分，但也要有一定的基礎才能實現，要有健康或物質條件允許，不然，縱使有再美好的設想，也會被現實擊碎！

人還是實際點好，遇到了就去珍惜，遇不到就去尋找！不強求才是最好！

{第六章}

友誼不是理所當然

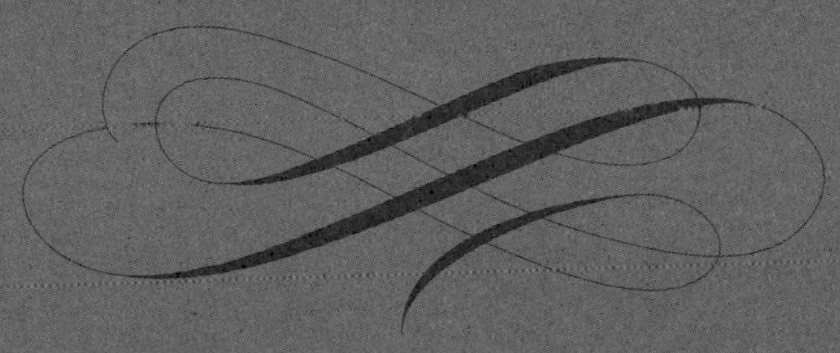

人生無常，相遇即是有緣。

與我們交集的眾多靈魂之中，

有一些特別值得我們珍視，並常懷感謝之心。

他們給予我們信賴、真誠、關懷，

讓我們在人生路途中倍感溫馨。

一生中有許多緣分，

我們珍惜必須的、放手錯過的，知緣、惜緣，

和對的人瀟瀟灑灑的過一生！

即使逆風，這些人總是支持你

心之小語

在這個世界上，總是有些人會由衷的欣賞我們。雖然也有一些見不得我們好的人，會想各種辦法數落、挖苦、貶低我們，但不必和他們一般見識，珍惜為我們按讚的知心好友就行！

有些朋友雖不是天天都會跟你閒聊，但是經常默默關注著你，會在臉書動態或微信朋友圈為你按讚。這樣的朋友，會是支持你成功的力量。有些朋友，則是沒事絕不聯絡，若是開始聯絡，就是想從你身上挖好處。

小葉在前一分工作上結識了位朋友，雖然兩人個性相異，朋友負責對外接觸客戶的工作，小葉則是內勤，但兩人還算聊得來。

離開那家公司後，小葉和朋友都各自有了新發展。小葉在臉書朋友圈看到朋友的動態時，總

是會抱著祝福的心情點個讚，但朋友從不與他在朋友圈上互動，是不是那位朋友覺得，兩人已經毫無瓜葛？

看朋友發展受限，升遷了的小葉也請他吃過幾次飯，想鼓勵朋友。但朋友話裡話外透露出的意思，好像覺得只要小葉比他過得好，就責無旁貸應該拉他一把！

不知為何，這位朋友認為小葉應該對他關心無微不至，而某次小葉沒有優先把客戶機會給他，這朋友就把小葉給封鎖刪除了。小葉又困惑、又難過，但再想想，似乎也沒有必要再把這樣的人當朋友了！每一個人的善良尺度都是有限的！

*

在人生路途上，我們所要依靠的主要是自己。熬得住就出眾，熬不住就出局。

但在努力的過程中，有些朋友會默默支持著我們。不管我們是做出了成就，還是有些不如意，他們都會在我們身邊。

我有一個同業朋友，雖然我們不在同一個城市，也沒見過面。但無論何種情況，他都會偷偷的給我按讚。後來，他改行當了老師，按讚的次數雖然少了，但他對我的支持一直沒有改變，這讓我心裡很感動！

人都希望能贏得他人的贊同，世界這麼大，誰會對我們點頭認可呢？

為我們按讚的人，可能是我們身邊的親人朋友，可能是我們的戀人，也可能是陌生人！

愈優秀的人，愈會得到別人的肯定。給你支持的人，是擁護你的，值得你去珍惜！

*

不過，有支持你的人，就會有反對你的人！反對你的人總會想各種辦法讓你難堪。即便你已經很努力，即便你已經做出許多改變，對方依舊是看扁你。**可是，我們沒有必要希求所有人的贊同！**

對於和我們唱對臺戲的，我們也沒有必要見不得別人好過。如果對方比自己好，就應該學習；那樣，才是一個有度量的人！

小人總是錙銖必較的，沒有必要和他們過於計較。我們要做的是，珍惜給予你支持的人，因為，他們是你後備的力量。

「秒回」的情份，值得你珍惜

心之小語

隨著時間的推移，人與人之間的感情會因為生活圈改變而愈來愈淡。漸漸的，我們曾經熟悉的人可能變得陌生。

正因如此，選擇了不同方向的人，就應該放手給予祝福；對還願意停留在我們生命中的人，更值得好好珍惜。

每個人都有每個人的生活，這個世界並不是誰一定要擁有誰。即使曾經再眷戀對方，並不是他不在了你就活不下去。少了他，你照樣可以活著，而且可能活得很好！

在北部工作的阿海，在網路交友平台上認識了一個住在南部的女孩。剛開始時兩人每天都聊得很熱絡，不管大小事，女孩幾乎都會對阿海說。

阿海對這個明眸大眼、有可愛笑容的女孩很心動，也覺得對方應該是喜歡他的。

聊了半年，女孩開始慢慢不怎麼回話了。阿海傳給她的訊息，也常常已讀不回。隔了幾天，阿海和她通了電話，她的語氣聽起來，似乎有些疏遠。

阿海不懂，之前他們每天都聊，為什麼她開始不理自己了呢？

後來，阿海仔細回顧了他們的對話紀錄，才發現，女孩原本對他確實也有好感，只是兩人距離太遠、彼此都不想換地方發展，況且，其實他們在價值觀上也是南轅北轍！

想通了之後，阿海決定放下！

*

對於那些決定不回我們消息、決定友誼可以淡去的人，我們也要想開，確定了對方在自己心中的定位之後，就沒有必要苦苦糾纏著不放。

而有些朋友，即使已經不常聯絡，濃厚的友誼依然長存。**當我們伸出手聯繫時，他們總是會及時回覆消息，這樣的友誼，值得我們珍藏在心中！**

阿海在大學的時候有個很好的同學，那時候他們經常一起去上課，一起外出打球，連把妹也是兩個人互相幫忙，可以說是穿一條褲子長大的兄弟。

大學畢業後，他倆去了不同的城市。剛畢業的頭兩年，阿海還是常常和這位同學聊天，每次留言，對方總會第一時間回覆。

後來，這個同學結婚有了孩子，阿海也忙於工作，他倆漸漸沒有那麼多機會可以聊天了。被南部的女孩疏遠後，阿海有陣子心裡很不好受。有天，他傳了訊息給同學，同學立刻秒回，關心的問起阿海的動態是怎麼了？兩人深聊了整晚，阿海的心情疏散了許多，也深深感動，還好有這麼個好朋友。

*

有些人對我們已讀不回，不是他忽略了你發的消息，有可能是他不知道該怎麼回，或是他覺得回覆也沒有意義。

但那些總在第一時間回覆我們消息的人，是應該值得我們珍惜的，在彼此的心中，我們都是最重要的朋友！

踏入私領域的友誼，是真正的親近

♥心之小語

家是一個人的私領域，如果某個人給你打電話，邀請你去他家裡而不是去餐館、飯店裡吃飯，那麼恭喜你，這個人對你真誠相待！

朋友來往，大多是在外聚會遊玩。但如果朋友請你去他家中聚會，且留你下來吃飯的話，表示對方對這段友誼感覺很親近，才會願意招待你。這樣的友人，也值得我們好好珍惜。

我在曾經任職的前公司認識了一位女同事。我們先後離開那家公司後，她跟我聯絡，想談創業的事。

我們在咖啡店碰了面，討論關於開一間圖書公司的事。在當時的景氣和大環境下，圖書公司相當不好經營，幾次討論後雖然創業計畫作罷，但我們很聊得來，經常保持聯繫。

我們常常在週末通電話聊工作，後來熟稔了，她就邀我去她家吃飯。她一個人的時候，在家常常自己下廚，後來我去拜訪，也經常帶食材、水果過去。

就這樣，我們陸陸續續半年，幾乎每到週末就碰一次面。但後來，我們鬧了一些矛盾，就彼此誰也不理誰了。

現在想一想，真的不應該因為一些小矛盾就不再和她往來。因為跟後來在工作上認識的一些同事相比，她待我還是非常真誠的。

*

雖然後來我也去過其他同事家裡吃飯，但與其說是別人「請我吃飯」，不如說只是大家一起到某個人家裡聚聚。

和友人吃飯，要賓主盡歡也是一門藝術，我們不應在餐桌上大肆訴苦，不然下一次請別人吃飯，別人可能就不願來了。

我們請別人吃飯，要出於真誠。如果是別人請我們到他家裡吃飯，很可能是他覺得我們不錯，很可能是他看重了我們某一方面！

他把你請到他的私人空間，而不是去餐廳等公共場合，就說明他在心中已經更親近的看待你了。這樣的人想和你昇華友好關係，當然值得你珍惜！

心的避風港，就在餐桌上的親密交流

心之小語

溫馨的家，是我們的避風港。回到家中，和家人、伴侶一起度過美妙的晚餐時間，能夠洗淨滿心的疲癒，讓我們有動力繼續拚下去。

小姚是個白領，他在工作上全力以赴，業績非常出色，也連連升職、加薪，以他的經濟條件，生活過得十分舒適。雖然即將奔四還是單身一人，但小姚並不急著找對象，他覺得一個人的生活也挺愜意的。

後來，有個女孩對小姚產生了好感，他們都是單車騎行的同好，一起跟著車隊攻頂過幾次，就決定在一起了。

小姚自己偶爾會下廚，不過因為工作忙，平常飲食都在外面解決；女孩則是自行創業，平常也有忙不完的事。但是他們約定好，把每個星期五晚上空出來，一定下廚，等對方一起吃晚餐。

如果小姚近期特別忙，女孩就會煮一桌家常菜等著小姚；如果是女孩公司事情多，小姚就會煎起他最拿手的厚牛排加上配菜，等女孩到他家來晚餐一敘。

這個習慣，即使在他們婚後也一直保持著。不管工作上再忙再累、人際上精疲力竭，只要在周五晚上的餐桌見到等著自己的對方，整個人就能再充滿電，周末休整一番，周一繼續在職場上衝鋒陷陣。

*

等我們回家吃飯的人，是與我們最親密的人；家人與伴侶，最值得我們珍惜。

當我們為了工作奔忙的時候，家人總會說「該回家吃飯了」；當我們心情煩惱之時，和家人一起吃頓飯，總是能開解內心的煩憂。

從小，父母都會等我們回家吃飯。對我們的關心、包容、愛護，全都融入在那一道道飯菜裡。我們的愛人、伴侶，也會等我們回家吃飯。把珍貴的用餐時間，保留為專屬彼此的交流時間。

不要等到失去後才知道錯過，用心去呵護等你回家吃飯的人，共同去經營愛的港灣，你會成為一個有責任感，又讓人願意去愛、去守護的人！

主動帶你見家人？他是認真的

心之小語

你以為你們關係很好，你是他的唯一，但他總是把你排斥在他朋友親人之外，這樣的人可能其實並不重視你。

帶你認識親戚、朋友，表示他已經完全接納你了。他想讓你贏得他周圍人的贊同，從而走進他的生活、走進他的人生！

一個「北漂」工作的青年，身邊的女孩來來去去，始終沒有一個固定交往的對象。老家的父母時常問起，交女朋友了沒？什麼時候帶回來給爸媽看看？他都含糊其辭，春秋筆法帶過。

後來，他遇到了一個很主動積極的女孩。他覺得無可無不可，就這樣加減交往著；只是，一年三節，他從來不帶女孩回老家。女孩倒是一廂情願，帶他去見了她的閨蜜。

平常相處時，青年常常順著女孩的心意。女孩認為，兩人差不多該定下來了，正準備要求明

年春節讓雙方父母見面時，他卻接到了家裡父親生病的消息。

女孩想陪他一起回去，他卻拒絕了，只說女孩還得工作也不可能說走就走吧？女孩就只好點頭，讓他一人回老家去陪伴父親。

他走後女孩牽腸掛肚，時時奪命連環扣。然而，每次通話，他都很快就掛斷了，也從來沒有說過什麼思念的話。

女孩痛定思痛才想通，其實他沒有認真看待她過，只是把她當作生命中一個美麗的過客。

＊

我們都希望對方待我們一片真心，然而如果他對你有很多隱瞞，例如工作、親友、私生活的情況，即使他待你再溫柔，也不見得已經接受你，更可能不值得你的信任。

在一些影視劇中，王子或公主往往會放下身分，裝作平民去尋找真愛，他們希望能遇到一個愛上自己本質，而不是顯貴身分的人。

然而在現實生活中，與隱瞞身分的人交往，卻是很危險的。

那些樂意帶你去見他家人朋友的人，才值得你的信任與珍惜，因為**他可能心中就只有你，認為你難能可貴，願意讓你走進他的未來！**我們愛一個人，就要接受對方的一切，包括對方的過去、現在和未來。這樣，才能走進彼此的心裡！

麻煩幫不幫？解讀友誼忠誠度

心之小語

搬家是件麻煩事，正因為如此麻煩，還願意不計辛勞幫助我們，這樣的人是真正在乎我們的人，值得我們付出對等的真情，更值得好好珍惜！

曾經有人說，從六個方面，可以看出一個人過得好不好：一個人吃飯、一個人看電影、一個人回家、一個人旅遊、一個人去醫院，以及一個人搬家。

現代人早已不適用這種判斷準則，一個人度過日常生活和休閒生活，都別有一番悠然的趣味。只是就醫可能茲事體大，搬家則是繁瑣又辛苦，這兩件事若是都有親友陪伴或幫忙，總是比自己獨自應付要好得多。

*

我之前在家寫作，但後來受到過去的主管邀請，去了他在新公司裡新開闢的部門效力。

前主管打算在新領域開疆闢土，正需要一些得力的人手，因此我就答應了。為了上班方便，我也搬到公司附近，這樣可以節省通勤浪費的時間，可以有更多的空餘時間去做其他的事。

我是一個萬事憑自己的人，除非萬不得已，不會尋求別人的幫助。所以，這些年來，幾乎都是我一個人搬家。

我在這家公司待了兩年，受到那位主管許多照顧。後來他辭職去謀求更好的發展，也因此需要搬家，等他找好了滿意的地方，並打電話讓我過去幫忙，我當然一口答應。

我深知搬家的痛苦，因為我自從大學畢業之後，平均不到一年就要搬一次家。為了答謝他的照顧，我很樂意在他有需要的時候幫助他！

我喜歡新的環境，在新的地方重新開始。有多年搬家經驗的我可以說，一個人搬家真的心很累，如果有個人願意幫忙你搬家，那個人是值得你珍惜的！

*

他為什麼會樂意幫助你搬家呢？因為，他打從心裡把你當作朋友，**他認為雖然辛苦但是值得。你若遭遇其他困境，他也會是那個助你一臂之力的人。**

整理家當和搬運到新地方，既繁瑣又辛苦。通常我們都會考慮請搬家公司來協助，省時也省力。願意幫忙搬家的人，是那些非常在乎我們的人；如果放在職場上看，他們可能就是對公司極有認同感、有忠誠度的人。

我有位朋友開了一家公司，公司裡有四十多位員工。因為一些緣故，他們原本的辦公室不得不退租，得另覓新的辦公室。

因為過於急迫，他們先搬到一個離市區有些距離，而且空間有點狹小的地點。這樣顯然並不適合，於是他又急急尋找另外的辦公地點。

用了一個多月的時間，他好不容易才在靠近市區的地方，找到了一個比較好的選擇。這兩次辦公室搬家，他都定在周末的時間，兩次都只有寥寥幾人前來幫忙，而這些自願來幫忙的，都是已經跟了他好幾年的員工。

他們對公司的認同感，從這件事就可以看得出來。他們已經全心的投入這家公司，會主動為公司著想，這樣的員工，怎麼不值得做老闆的珍惜！

我們要謹記，珍惜留在你身邊的人、珍惜願意提供一已之力來協助我們的人。如果不幸有些友誼逐漸淡去，也不要太過放在心上，人生中，注定會有一些過客！

借錢還不還？一次看清這個人

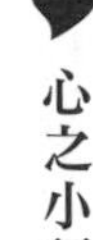

心之小語

朋友借錢不傷感情，借錢不還才最傷感情。

我們要有心理準備，錢一旦借出去了，就可能再也要不回來。而懂得守信，借錢會還的，是值得我們珍惜與來往的人！

有的人，在向你借錢的時候，表現得楚楚可憐；該還錢的時候，卻徹底失聯。對這樣的人而言，可能為了某些因素，金錢比一切都重要，我們至少可以對這樣的人敬而遠之。

我剛出社會的時候，工資還不算多，辛辛苦苦一個月之後，我拿得了一千三百元人民幣的薪水。

公司裡有另一位同事，她學歷低、薪水更低。在我剛領第一次薪水後，她就留言向我借錢，答應下個月發工資時會還我。

當時我閱歷尚淺，覺得應該幫她一把。她又說，希望我不要向其他同事提起她借錢的事，為了尊重她，我便緘默不言。

一個月後發薪日，她只說她的錢不夠還了。我猜想她手頭可能真的拮据，就答應再過一個月再還。然而，又過了一個月，她仍然不還，只說她媽媽生病，把錢寄回老家去了。

我一次又一次的相信她，後來才得知，借錢給她的不只是我，還有好幾個別的同事，而她從來沒有還過錢，給的理由也全都不一樣。

好心助人卻有這麼遺憾的結果，從此以後，我盡量不和那樣的人接觸。

*

借錢不還的人，多數有這幾種特徵：

第一，明明薪水不高，花錢卻大手大腳；第二，總是說下次會還你，但你等了無數個下次，他還是沒還你；第三，可憐兮兮、對你訴苦，讓你覺得他真的很困難；第四，向你借錢的時候，對你態度很親密，當要還錢的時候接近，他就可能不再與你聯繫。

小時候常聽長輩說：**朋友之間最忌諱借錢，借錢傷感情！如果你借了錢，可能朋友和錢都沒了；如果你不借錢，失去的可能只是朋友。**

所以「有借有還」的朋友，才更顯得珍貴，這樣重信用、可靠的朋友不可多得，值得我們好

好珍惜！

或許你手頭還算寬鬆，不急著需要朋友還你錢，但真正的好友會惦記著這件事，會急著把錢還給你。因為，他們知道這是你伸出援手、這不是理所當然，更不能讓金錢影響了彼此的友誼。

錢能讓我們買到想到的東西，也能讓我們過著理想中的生活；而一旦遇上金錢觀念不好的人，錢可能會造成我們與他的摩擦，讓我們分辨出是否應該敬而遠之。

伯樂難尋，珍惜你的知音

心之小語

現在社會，已經過了吃飽喝足就萬事大吉的年代。

每一個人都會有追求，人的最高級的追求狀態是個人的價值得以實現。

我們要想實現個人的價值，往往得有流傳於世的好作品。

作品是一個人能留下最珍貴的東西！作品代表著我們的能力、我們的實力，也能為我們的一生寫下注腳！

在我們這一行，人人都想通過出書功成名就。然而，出書並不是一件容易的事。

我一開始寫的是純文學的作品，包括詩歌、散文、小說等，但這樣子的作品只可用來欣賞，當作謀生的手段就很困難了。

當時，我的文學作品寫的很多，也拿過不少大獎。隨著年齡的增長，我所需要的不再是那些

獎狀！

後來，我開始寫心理學的作品，因為這樣子的作品容易出版。不過，畢竟沒有人緣。作品是寫出來了，遲遲沒有遇到合適的出版單位。

直到我的第一部作品由別人推薦成功上市後，我才堅信，自己創造的還是有一點價值。

後來，他們又給我介紹了其他的出版單位，以至於我出版了不少好作品。

這些幫我推薦的人，就是城邦集團布克文化的朋友，他們對我很好，他們看重了我的才華，當然值得我珍惜！

*

人最怕的就是壯志豪情無人問津，那些推薦我們作品的人，即使在他那裡不合適，他也會介紹更適合的平台。

這樣的人是從我們的角度考慮的，他是我們的伯樂。會推薦我們，**因為他們認為我們是可造之材，即使這裡不適合，他也會協助我們尋找更適合的去處**。

能夠有知遇之人賞識我們的才華，更能加強自己的自信和成就感。那些認可我們的人，值得我們珍惜。

一個愛惜你的人，總會給你更好的發展機會，如果他給不了，會放手，會讓你去更大的空間

發展。

那些總想栓住你、把你的才能限於一方之地的人，並不見得是最好的。也許你的優秀已經威脅到他們，他們表面上對你很好，實際上卻是在限制你的發展。

真正欣賞我們的人，會把我們推向更高層次。

*

現在擁有再多財富、投資再多動產與不動產，這些我們總有一天都無法帶走。但好的作品將流芳百世，讓後世記得我們曾經的存在。

一幅《蒙娜麗莎》，就能讓人永遠記住達文西；一本《紅樓夢》，就能讓人永遠記住曹雪芹。事業成就也是人生的作品，長江集團、阿里巴巴、台積電，讓李嘉誠、馬雲、張忠謀在歷史上留名。

如果一代武林大師沒有繼承人，他的絕技也會失傳。珍惜那些讓你產出作品並傳揚你作品的人，他們會是成功路上重要的人之一。

拔刀相助，不見得要兩肋插刀

心之小語

「升米恩、斗米仇」，在別人走投無路時出手相幫，對方會感謝你；但繼續幫助下去，好意漸漸會被視做理所當然，若有一天幫得不夠，都成了你的錯。

有些人總覺得，別人應該要幫助他們。當我們出手幫忙時，一開始還會感謝，漸漸的卻愈來愈貪心，等到我們某天滿足不了他的要求時，還認為是我們不盡力，為什麼之前肯幫他們，現在卻不肯了？

中國有個很有名的真人秀節目《星光大道》，以素人娛樂為出發點，節目中也發掘了不少正能量優秀人物。農民歌手朱之文在二〇一一年引吭高歌、一砲而紅，接連不斷的演出讓他賺進不少可觀收入。朱之文變得富有，他想要回饋鄉里。他出錢修了村裡的公路，還翻修幼稚園等等，為村里做了不少事情。沒想到，有村民得寸進尺，說「他給我們村裡每人發一部小汽車，每人給

一萬元，才是真的對我們好！」

其實朱之文為村子裡做了那麼多，那是情分而不是本分。並不是我富足了，你窮，我就必須要幫助你！每個人都有每個人的路要走，每一個人的發展機遇都不同。已經是盡了最大能力，還被嫌棄幫助得太少，這樣助人又有什麼意思呢？

*

其實，我們幫得了別人一時，卻幫不了別人一世。

有些條件不好的人，會認為只要我們過得比他好，就應該義不容辭的支持他、就應該毫無條件的幫助他。你對他好不要緊，問題是你對他好了，他卻會說你不夠好，要求你對他更好。

我非常感恩那些人生中給我片刻幫忙的人，他們幫助我非並理所當然，這些恩情點滴在心頭。別人為什麼要幫助我？不就是讓我能夠重新面對嗎？只有自己從挫折中再站起，別人才會認為幫助我是值得的！

同樣的，**如果我們幫助了別人，這番心意也被尊重、珍視，那麼未來彼此的路都能愈走愈寬**。有感恩之心的人會讓你覺得幫助他值得，有感恩之心的人會因為你的幫助帶來更多的感動！

人生在世，別再為不值得的人付出了。懂得尊重別人心意、懂得感恩的人，更值得我們的珍惜。

釋放壓力，只需要一個傾聽的人

心之小語

每一個人都有想說的話，但你說了別人不一定會聽，知音難求啊！

如果有個人樂意傾聽你的喜怒哀樂，那麼這個人值得你珍惜！

當我們開心時，會想把這一刻的快樂告訴某個人；當我們難過時，也會想把心中的悲傷說給某個人聽。**能夠有一個能傾聽、理解自己的對象，是相當美好的一件事，也是消除日常壓力的最好方式。**

有位叫小蕾的女孩，她讀書時人緣極好，有群朋友天天玩在一起，什麼心裡話都能向彼此說，她覺得很幸福！

但是，畢業出了社會，大家各奔東西，她不好意思一直去打擾朋友，但工作上的壓力又很大。由於沒人能讓她訴心事，漸漸的，她感覺愈來愈壓抑，行事也愈來愈孤僻。

從她的微信動態可以看出她的消極和低落心情，有些比較不熟的朋友雖試著安慰她一句兩句，但似乎沒有什麼幫助。有天，小蕾終於鼓起勇氣，傳訊息給畢業後就去了美國攻讀的好友。雖然多年未見，但聊天之間仍然是過去那種熟悉的感覺。

她向好友傾訴苦衷，好友也給了她許多建議與回應，小蕾突然覺得眼前海闊天空，肩上的壓力也輕了許多。她很高興，這位願意傾聽她內心話的好友一直都在！

*

對方樂於傾聽，會讓我們感覺找到了知己。

一個在傾聽我們說話時非常有耐心，等到我們把話說完之後，才慢慢把不同意見提出來讓我們參考的朋友，非常值得我們去珍惜！

他願意理解我們，願意分享我們的喜怒哀樂。當我們遭遇重大衝擊時，他會願意陪伴我們，聽我們說出心裡的苦痛和擔憂。很多時候，當我們感覺到困擾或迷惘，其實在自己內心深處可能已經有了答案。有個願意傾聽我們煩惱的人，能夠陪伴我們整理思緒，度過每個艱難的時刻，而不至於誤入歧途。

這樣珍貴的親人或朋友，能在人生路上和我們同甘共苦，是最值得我們珍惜的人。

{第七章}

夢想原點在堅強的心

人生的路並不一定處處美好，

我們時常也遭遇到挫折困難。

但我們可以鍛鍊自己的心智，

面對負面的感受，

並將它轉換為再踏前一步的動力，

一步步走向美好的未來。

有天，我們會蛻變為自己最喜歡的樣子。

與其計較平起平坐，不如瀟灑自在活

❤ **心之小語**

我們要接受不平等，才能活得坦然！

我們都認為人人生而平等，我們所受的教育也說，看一個人不應該看他的身分地位，我們所有人，都是平起平坐的。

好像只有贊同這樣的觀點，我們才能給自己努力的理由。但是，人與人之間真的平等嗎？我一直在思考這個問題。現在我認為，人與人之間是永遠不可能平等的。

「烏托邦」畢竟是理想。每個人的天生的資質不同，每個人後天的努力也不同，如何說是平等的呢？

*

有些學校或機構，會打著平等招牌來招生或招募員工，然而，我們心知肚明，平等不可能在

所有人之間發生的。

我不希求平等，因為平等只是相對而言的。

我們生活在這個世上，為了追求物質條件上能與別人平起平坐，不得不去做自己不願意做的事情。別人可以指揮我們做這做那，有時候我們為了一日三餐，不得不虛耗日子。

雖然我們知道，「不為五斗米折腰」才是有風骨，但若是沒有一定的經濟基礎，根本沒有底氣去說什麼「不為五斗米折腰」的話。

人活著才重要，只要不昧良心，活在當下就最為可貴。我們可以盡力去追求平等，但**如果始終不能接受這世上本來就有很多不平等，懷著怨憤的心，只是跟自己過不去罷了**。

平等可能存在於理想之中，不平等才是現實的存在。

我們也沒有必要埋怨自己出身比別人低，風水輪流轉，明年皇帝到我家。誰說那些看似風光的人，某一天不會落魄？誰說雞籠裡不會飛出金鳳凰？

我們永遠要相信，愈努力愈會有奇蹟發生。縱使這個世界如此不平等，活得瀟灑、磊落，也便自在！

腳踏實地、不忘初衷，功到自然成

❤ **心之小語**

我們都想獲得別人的認可，但必須在時間的洗禮中去淬煉自己，別急功近利，要踏實、安安心心的做事，當到了一定程度，自然會贏得別人的認可！

希望獲得別人的認可與尊重，是人類心理上很正常的需求。我們每天不停的忙碌、不停的工作、不停的學習，不但希望好還能更好，也希望我們的優秀，能夠讓他人認可！

我們要追求的認可不是一時的，而是一輩子的。

可能我們現在才剛起步，正是急切希望得到別人認可，以獲得更多發展機會的時候。但可能我們歷練還不夠，做事的火候還不足，還難以得到認可。這時候不必心急，只要踏實的做好手頭的事情即可，不必太在乎別人的眼光。

若是只需要少許努力，就能很快獲得別人認可，固然是一件很令人高興的事。但是過早嘗到

成功滋味，過早獲得光環、鮮花與掌聲，反而可能令我們志得意滿，從此認為再也沒有努力的必要，反而在怠惰中，被競爭對手給追了過去。

*

其實，得到別人的認可不必急於一時，一味急功近利只會使自己身心疲憊。踏實做好現在手頭上的工作，日積月累，總有雲破月開的一天。

別把希望寄託在「一戰成名」、「一夕走紅」之上。那樣千載難逢的機會可遇不可求，更何況，在這個速食的時代，來得快的東西去得更快。光憑運氣成功，那麼運氣也能立刻讓我們從雲端墜到地面。

我們要不忘初衷、固守本心，一步步去攀登。成功不是一蹴而幾的，它有一個累積的過程。從現在開始努力，把從點滴中把基礎打好，成功的未來自然會水到渠成。

一旦習於追求他人的認可，習慣了活在掌聲之中，凡事總以獲得他人的讚美為目標，久而久之，我們可能會失卻本心，忘了自己為何而努力；又或者明明自己已經做得很好，卻因為沒能得到別人的認同，自怨自艾、苛責自己，變得沮喪失落。

與其總是想著怎麼讓人認可，我們不如低下頭來專心做事、踏實做人。當累積到了一定的程度，就會功到自然成，過上讓人羨慕的生活。

心智成熟的人，用成果說話

心之小語

清朝文康《兒女英雄傳》：「人過留名，雁過留聲。」功成名就，誰不希望？但「出名」這件事讓很多人絢爛一時，卻過早殞落。心智成熟的人在乎的並非一時出名，他們懂得看長遠、觀大局，會是人生的贏家！

在這個自媒體的時代，很多人都不甘孤苦和寂寞，想要在世人面前露臉搏名聲。只不過，被大眾關注並不代表別人就喜歡你；經常在媒體上露臉，也不見得表示這就是優秀。

演藝界的明星曝光機會原本就比一般人來得多，就算不是代言或新作品宣傳，他們大部分也都持續經營社群，不希望被粉絲們遺忘。

不過也有一些明星非常低調，他們追求的不是一時的話題，而是長遠的發展，他們可能默默的在自己在乎的社會議題上努力。在臉書、IG上，我們常常可以看到有些名人，總是為了公益

在發聲，希望貢獻一己之力，讓這個世界變得更好。

心智成熟的人很明白，浪得虛名遠遠沒有腳踏實地更心安。即便一時風光無限，光環也可能很快就會衰落，被人們所遺忘。

＊

心智成熟的人不會去刷存在感，他們會選擇安安穩穩的過生活！**他們所追求的，不是別人空泛的讚美，而是實實在在、穩紮穩打之下，離自己想要實現的夢想，能夠更進一步。**

在我的家鄉，有一位三十多歲的婦女，她的兒子很聰明，學習成績一流，因此，她經常在村子裡備受誇耀。

看到鄰居們翹起的大拇指，她兒子就沾沾自喜。但她經常笑著勸兒子，不要聽了別人口頭上的讚美，就覺得自己真的那麼有實力。

事情總有不如意的一面。她的兒子剛上高中時，迷上了網路遊戲，學習成績一落千丈，左鄰右舍看他的眼神，也不再像以前那樣都是佩服了。

但這位婦女並沒有因此覺得沒面子。她知道兒子在學習上遇到了一些問題，卻是在遊戲裡找到成就感，於是她想辦法幫助兒子克服學習上的難關，也慢慢開導兒子，紮紮實實努力，總能有看到成果的一天！

心智成熟的人懂得如何不去過度在乎別人的看法。即便別人對他們指指點點，但他們總是能**專注於內心的目標，堅持下去！**

＊

有另一位很熱愛寫作的朋友，在學生時代，他的寫作興趣完全不被家人認可，也很少有朋友看好他走這一行。

雖然並不容易，但他還是頂著親友們的壓力，毅然默默的堅持著寫作的興趣。大學畢業後，他就出版了第一本自己的書，看到他的努力終於帶來成果，當初那些反對他的人不好再唱衰他，父母也變得支持他了！

或許自己的選擇，不一定能廣泛獲得別人的支持，但心智成熟的人會有明確的方向，**他們會用實際行動讓別人刮目相看，用成果證明自己的想法！**

減法哲學，讓我們走得更遠

♥心之小語

當我們身上背負的愈多，就會覺得邁步前行愈困難！

其實，我們可以放過自己，該放下的就放下。我們才有更多動力輕鬆前行！

有的時候，我們會給予自己許多期望和壓力，覺得怎麼努力都前進不了，心裡感到失望又難過，似乎找不到繼續努力的動力。

但其實，我們不必讓自己的心背著那麼沉重的行囊，該放下的就放下。不要給自己過多的壓力，這樣我們才有力氣邁向前方！

*

有一頭驢子，背著沉重的東西想要到河對岸安家落戶。這條河水流湍急，是不可能直接涉水而過的，驢子找到了一個有小橋的地方，小心翼翼的過河。

但是在橋上，牠不小心把行囊裡的乾草抖落了一小半，那些乾草順著橋縫掉落到河裡，被遠遠的沖走了。那些是他好不容易才收集起來，要用來鋪屋頂的乾草呀！驢子傷心極了，站在橋中間大哭。

哭了一會兒，驢子咬咬牙決定繼續過河。但不小心蹄子滑了一下，一個重心不穩，身上背著的一些糧食又滑落到河中。驢子趕緊下橋，想到河裡去把糧食撈回來，但河水無情，把糧食袋沖散又捲走了。驢子這下萬念俱灰，坐在河邊大哭。

這時候，橋下游來了一隻鴨子，聽到驢子的哭聲就問道：「驢子大哥，你為什麼這麼難過呢？」驢子抹著淚說：「我背著的乾草和糧食掉到河裡了。」

鴨子答道：「你剛才過河時步履艱難，現在再試試，是否覺得身上輕鬆了很多？」

聽鴨子這麼說，驢子站起來再次背上行囊，這才發現身上確實輕鬆多了。眺望前方是一片青青的大草原，驢子可以重新安家了，乾草和糧食再收集也就有了，牠向鴨子道了謝，高高興興的向前走去。

*

驢子一開始過河時步履艱難，因為牠背著沉重的家當，恐怕損失了一絲一毫，戰戰兢兢連路都走不好。但正如鴨子所說，雖然掉了一些乾草和糧食，身上就輕鬆了、走得動了。失去的東西

還能再獲得，又何需堅持要從河裡撿回來呢？

如果可以，我們沒必要讓自己背負如此沉重的負擔。**當身上背負的壓力變輕時，我們應該感到開心，因為我們少了牽掛，能去更遠的地方。**

現代的生活節奏日益快速，每天都要承受大大小小的壓力。當我們覺得忙得根本喘不過氣時，有必要靜下心想一想，哪些東西是可以「放下」、「不必要」的？壓力少了，內心就能輕鬆，讓我們更坦然的活下去。

人生不是完美的，壞安排有時候也不壞

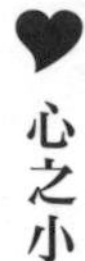

心之小語

我們現在所受的苦，將來某一天一定會成為我們的福報。

天無絕人之路，我們要比的不是一時的輸贏，是誰能在人生路上笑到最後。

天下的事情總難有完美的，一件事有利有弊，會有受益的人，也會有受害的人。差別只在於，我們站在哪個角度去看待。

比如宣布個人所得稅調整，有人高興就會有人不開心。按理說，起徵點提高，對低收入者是個好消息；但隨著稅率也提高，高收入者就難以淡定了。

*

我喜歡看魔幻、鬼怪、神話的電視劇，不僅驚歎於其中的故事情節浮想聯翩、天馬行空，更為其中的各類人物由衷的感歎。在戲劇中，神佛都代表著正直高尚，魔怪都被認為是萬惡的，看

臉就能知道一個角色是正派還是反派。

不過在人生中事情總不那麼盡如人意。有些看起來十分正派的人物，最後卻是個偽君子；有些人看起來其貌不揚，但為人善良真誠，是值得來往的人。

在《神鵰俠侶》中，楊過在全真教拜師學藝時，他心地坦蕩，可是周圍都是些小肚雞腸的師兄弟，君子鬥不過小人，楊過後來才會改投古墓派。而對手金輪法王座下的達爾巴，卻十分憨厚忠義。

在生涯規畫上，很多人都以為，如果我們違背原來的初衷，就是人品出了問題，其實並非如此。就算原本的初衷再美好，但要是讓人活得沒有自尊，就有必要想一想，是否該換一條路了？

比如傳統上我們會認為，當教師是責任重大又光榮的事業，但現今的教育事業已經大不相同，老師疲於應酬、不敢得罪學生，更不敢得罪家長。這樣的教職，其實很委屈，但誰會想到變得如此？

＊

人生一路行來，並非沿路都是最完美的風景、最完美的相遇。

雖然總是會遇到阻礙我們的人，但世上仍有很多好人值得珍惜。或許一次命運的壞安排，是讓我們學習更多的好機遇。或許一些曾經關係很好的朋友，在未來的歲月中會漸行漸遠，但人生在世，能有一、兩個知交莫逆，那就是最值得珍惜的事了。

我們所要做的是，在天塌下來的時候，都能站起來！

有個朋友失戀了，他傷心不已。別人都勸他，世上的女孩多得是，憑他的才華與相貌，難道還怕沒機會？他卻說：「還有誰會再真心待我，每天為我做飯？我好不容易才找到了她，她卻為了別人離開我。」

為了治療情傷，他去參加讀書會，在讀書會裡卻遇到了另一個獨特的女孩，慢慢的他們愈走愈近，最後朋友治好了自己的心傷，成為了每天為女孩做飯的人。

我們現在所遭遇的困難，在將來某天一定會成為我們幸福的基石。

凡事沒有絕對的好壞，要堅持到最後，在路途上難免一定會遇到不順利的時候。接受不完美、走出自己的路，有朝一日，我們會成為人生的贏家！

多點同理心，少點煩躁感

❤ **心之小語**

遇到自己不滿意的事情，我們常常會怒髮衝冠，非得要為自己討回公道。但換個角度想想吧！若是易地而處，自己又會如何？多一點同理心，人生會更美好。

近期，有個機器人題材的遊戲十分火紅，過程中，玩家必須阻止擁有人工智慧、逐漸發展出情感與思考的「異常」機器人。但如何判斷機器人是否「壞了」？有個非常簡單的判斷方法，那就是測試它們是否具有人類獨特的情感：同理心。

玩家們在面對著栩栩如生、青春美麗，看起來無限嬌弱的女性機器人時，通常都無法下手殺死這個「人」。但是，我們在日常生活中，面對著無比真實的人類讓我們生氣時，同理心就一溜煙不知去了哪裡。

*

之前有天下午，我從通州區返回自己的租處，打了一輛計程車，想著正好可以避開車潮，在下班交通尖峰時間之前就回到家。

但是，那個計程車小哥把我帶入了一條因為修路而封住的長街。眼看前面過不去了，我們只好按照原路返回。

看到他一副著急的樣子，我按捺住心裡的不悅，只默默想著要不要下車改坐另一輛計程車。這時他問：「你會導航嗎？我看看哪一條路最近、最方便、最快捷？」

天啊，司機還有不會導航的？我明明可以導航，但還是對他說：「不打緊，只要能到目的地就行！」這句話的代價是，他又誤入了一些死巷子、走了一些彎路，沒辦法，我只好給他導航。

這時候，路上已經開始車多了，到處堵車、等紅綠燈也等得讓人心煩。

看這個司機小哥一臉焦灼不安，我開口道：「這是你第一次開車吧？」他吃了一驚，連忙問我怎麼知道的？又不停道歉，我只好說：「你吃了今天的苦頭，以後就有經驗了！」

平白被個新手司機擔誤了大半天，實在不是什麼令人愉悅的事，但思及這是他第一天上工，路不熟實在也沒辦法。想想，還是算了，我照付了他車資，叮嚀他買台導航或弄個手機導航也行。

遇到不順心的事，我們都會想發怒，有時候甚至沒多想就口出惡言。但是**如果能想想一下別人的立場，就能讓想法改變許多，也能避免發生不快的事。**

我們要學會寬容和理解，尊重每一個人是很必要的，這不僅顯示我們有優良品德，若有一天我們落魄了，曾經給予他人的尊重，也讓別人不會隨便輕賤我們。

＊

我們怎樣待人，別人將來就可能怎樣對待我們！

在不少鄉村地區，當爺爺奶奶年事已高、生活上無法自理時，有些父母會直接流露出不耐煩的樣子。他們可能更願意仔細照顧孩子，卻懶得多花心思對自己的爸媽。

趙奶奶已經90多歲，雖然還走得動路，但是耳背，一句話總要聽個三、四次，還很可能把意思給聽錯。趙奶奶的兒子對於講話總是要一直重覆，感到非常不耐煩，每次和老母親說話，總是說得他火冒三丈，「到底要我說幾遍！」

趙家一家三代住在一起，小孫子平時還算乖巧。有天學校準備要辦園遊會了，孩子晚上纏著爸爸說園遊會的事，但趙爸爸為了工作的事心不在焉，就沒怎麼聽進去。孩子在旁邊愈說愈大聲，最後竟然吼了一句：「到底要我說幾遍！」

趙爸爸這才發現，對老母親沒有同理心，孩子全都看在眼裡。自己「以身作則」給了不良示範，也對孩子帶來不好的影響。

棒打出頭鳥！優秀卻被疏遠的真正原因

心之小語

如果你認為你只要能幹，別人就會對你尊重，那麼你就錯了。都說「功高震主」，愈是有能力的人，反而更容易成為別人的眼中釘、肉中刺。

這個世界，能力很重要。然而，並不是誰強誰就能站在最高層、誰厲害誰就能決定一切。**一個人太厲害太完美，反而會因為太過招搖，給自己惹來麻煩！**

有兩位朋友，他們對文學都有著濃厚的興趣，誓言一定要在文學上做出成就。他們剛認識時都還很單純，認為只要寫出好作品，就會得到認可，功成名就。現實當然沒有想像得那麼簡單，經過多次碰壁，他們慢慢找到了自己的發展方向：一個繼續經營國內市場，一個決定放眼海外找讀者。

決定在自己國家出書的那位朋友人緣特別廣，作品數量雖然不多，但支持他的粉絲很多，也

算是一位名人。在海外出書的那位，作品數量不少，寫得又精采，一段時間後就從海外紅回到國內了。

這時他希望在國內重新發行自己的作品，陸陸續續接洽了不少出版社，卻都沒辦法談下來，後來他才輾轉知道，以前的那位朋友，認為自己是「砸場子」來了。

＊

相信這位優質的作家，根本沒有要和朋友別苗頭的意思，只是他崛起得太快太火，可能讓同業有些眼紅。

這並非要我們有能力不去發揮，只是可以的話，「凡事留一線，日後好相見」，給別人留餘地，也給自己留後路。

就比如三國時代的楊修，他學問淵博又聰慧，是曹操的主簿，辦事能力極強。只是他太有才華，連曹操留給兒子的考題，他都偷偷幫忙作弊；他太懂得揣摩上意，曹操的決策都還沒說出口，他就搶先讓屬下去實行。到了這種程度，讓曹操是可忍孰不可忍，找藉口把他殺了。

功高震主，過度展現自己的能力，會讓人備感威脅，反而決定疏遠你，甚至阻斷你發展的道路。**太過顯露自己的鋒芒，結果可能是我們都不樂見的。**

除非你決定把所有對手都徹底鏟除，但是到了這個地步，就是勝者為王、敗者為寇了！

生命的轉角，會有驚喜等待著

心之小語

未來充滿著許多未知。我們可能覺得已經走到死胡同，但天無絕人之路！即便現在遭遇許多阻礙，一時之間看不到希望，也不要就此灰心喪志，因為，誰知道是不是在下一個轉角，奇蹟就會發生呢？

我的第一本書，二〇〇九年底在臺灣城邦集團出版，到了現在，版權期限都過期好幾年了，最近他們還要給我匯款，我好激動！

在我的印象之中，在第一次結算首印的版稅之後，應該不再會有收入了。況且版權都已經過期好幾年了！

但是，還是在二〇一八年夏天有了新一輪的稿費。我想，有他們的善待，我接下來的日子會好過些，謝謝他們！這也再次讓我感覺，人生中總有很多意想不到的事，驚喜隨處會發生！

*

在我剛出社會時，我在一家公司裡做了幾個月就離職，接著，在租住的地方專心寫書。可是，一本書從創作到有進帳，需要很長的時間。

這段時間，我窮得快撐不下去了，卻又不好意思向家裡要錢。由於當時租的房子是每三個月交一次租金，眼看著又要交下一季的房租了，我該怎麼辦？

正在我焦頭爛額、一籌莫展之際，已經離職的那家公司忽然通知我，說還有半個月的工資沒結算呢！這對我來說，無疑是喜從天降。

有了那點額外的收入，急迫的房租問題算是解決了。接下來的兩、三個月中，我做了些其他工作獲得收入，總算度過了這一段窘迫期。

有時候，逼自己一把，會發現自己原來挺厲害的！常常在覺得無路可走的時候，我們會發現，其實柳暗花明又一村！

*

世界那麼大，我們千萬別看扁了自己。老天常常會捉弄我們，但也會在最痛苦的時候，給我們一線生機，讓我們得到意外的驚喜。

人生中，會有很多意想不到的好事發生，讓我們在微小事物中體會生命的美麗。雖然不知道什麼時候幸運會降臨，但我們要心懷希望！

都說「天助自助者」，保持樂觀進取，就有可能打動上天，給我們帶來好運氣！

我有一個朋友，他大學畢業後回家，跟幾個鄉親合夥一起種果樹，辛辛苦苦幾年終於開始結果，那一年果子大盛產，價格自然很慘烈。鄉親們氣得不行，都說不做了，他卻說：「今年行情不行，說不定明年就好了！」

果然，第二年產量回到正常水準，但由於其他很多果農都不種這果子了，而他又接下了鄉親們的果樹，第二年只有他果子供應充足，好好賺了一筆！

即便很長時間，一直這也不順，那也不順，但也不要心灰意冷，因為上天正在考驗你！當你順利過關了，迎接你的就是驚喜！

人生難免有逆風，是是非非由他們去說

心之小語

我們都希望得到尊重，但不知為何，卻遭到別人的侮辱、造謠和誹謗，別人為什麼要非議我們呢？

有人的地方就有江湖，就有是是非非。當是非與自己無關時，我們不去參與其中，謠言止於智者也就可以了；但有的時候，卻會有人要說自己的是非，令人感到十分無奈。

阿坤在公司的業務團隊裡是名猛將，不但業績常常掛帥，難搞的客戶到他手上也都能服服貼貼。阿坤自問平時都很照顧其他同事，不過業務所處的環境本來就很競爭，因此，當有些關於阿坤的難聽話傳到他耳裡時，他也不算太意外。

關於這些，阿坤只是雲淡風清的說：「喔，也沒什麼啦。」完全不見他有想要試著分辯解釋，或是氣急敗壞的樣子。

因為阿坤知道，常來常往的客戶都知道自己的行事風格，而真正了解自己的人，也不會因為**幾句流言就改變觀感**。那些會動搖的，都是與自己不大相關的人罷了。所以阿坤還是做好他該做的事，提供最好的服務給客戶，不讓那些是是非非影響到自己的表現。

*

為什麼我們不停努力著、求表現，卻會莫名遇上別人說長道短，甚至是侮辱我們的事？

別人侮辱我們，可能是因為我們的夢想和他不一致，他認為我們身在其位，就應該照他心中的正確方法去做事。但每個人的想法不同，成功的道路也不一樣，為什麼只有他的方法才會是唯一的最佳做法呢？

別人侮辱我們，可能是因為他想拉攏我們，但我們卻不願意。可能他為了達到目的不擇手段，若不能為他所用，他就要想辦法毀掉。

別人侮辱我們，還可能是因為他嫉妒。我們比他優秀，表現比他傑出，他感到心裡不平衡而把我們視為眼中釘，想方設法的阻礙我們。

還有些人侮辱我們，只不過是聽信他人之言。自己不去判斷思考，就對某些人所說的惡意言論全盤接受，別人說什麼他們就信什麼，結果錯上加錯。

*

人生總會有逆風前行的時候，努力的道路上總是會有很多磨難和打擊。別人侮辱我們時，我們要淡定，這些波折不過是道路上某一幅比較沒那麼美麗的風景。

在一切是是非非面前，我們只需要冷靜以對！很多事，從不同的角度看就有不同的結論，沒有絕對的錯，也沒有絕對的正確。

即使在我們在這個地方被弄得沒有立足之處，但天下何其廣闊，此處不容人，自有容人處！我們可以到另一個地方去發展，去尋找真心對待我們，而不是對我們虛與委蛇的夥伴。

人啊，最重要的還是活在當下，向前看！

人生中會有很多不盡如意的事，我們所能做的就是善待自己，變得愈來愈優秀。當然，給自己留一些退路，懷抱希望，黑暗終將遠去，我們會看到另一番風景！

可以窮得坦蕩，但別拿「窮」當籌碼

♥心之小語

有句話說：「寧欺白鬚翁，莫欺少年窮。」但無論是對任何人，身窮不可怕，心窮才可怕。

對有些人來說，似乎覺得讓別人伸出援手，總比自己去努力要來得更輕鬆、更容易。最近朋友圈中經常有人向我借錢，他們都說：「你出版了那麼多書，一定很有錢啊！」

且不說作家賺的都是辛苦錢，有錢就該借是什麼道理？如果不借，他們就有各種理由數落你，還擺出一副弱勢者被欺負的樣子！

在這個世界，每個人賺錢都不容易，即使是資產不計其數的世界首富，他們也不會隨意撒錢；即使是慈善事業，也不會把善款用在接濟坐吃山空、只會伸手的人身上。

*

有些人會故意裝窮、哭窮。有時會看到有這樣的訊息：「我窮得都吃不上飯了，我要發瘋了，求各路大神們拯救……」若是發了小善心，捐了點小錢，反而會助長他不勞而獲的想法，讓他認為「哭窮真的很有用」！

做人當然要善良，但是善良也不必被利用。

很多街頭上的乞討者，他們一個個低著頭，顯得很失魂落魄。但是，有些「可憐人」猛一抬頭，我忽然發現他是男生假扮女生，有的殘疾人士則是在四下無人的角落裡，突然健步如飛。

我曾經在地鐵上看過兩個乞丐，我和他們一起走進地鐵站，他們進站前神采奕奕、談笑風生。但搭上地鐵後，和他們同個車廂的我，看著一個拉起了曲調悲涼的二胡，後面的人手搭在前面的肩膀上，他何時瞎了？

這樣騙取別人的同情心，看了就令人覺得生氣！

*

人窮不是錯，錯的是志也窮。這個社會，總有一些「以弱示人者」，他們不去工作，也不想勞動，把倚窮賣窮、弱者有理當作訛財的工具。

長此以往，這樣的人無疑會成為無賴！

每個人的財富都是從無到有、慢慢累積的，我們可以欽羨別人的財富，以此當作努力的目標，但如果卻是想著如何直接從別人那裡分一杯羹，卻是不可取的！

我們不但要透過自己努力獲取想要的果實，更要選擇幫助值得幫助的人！俗話說「救急不救窮」，不讓打著貧窮幌子的人訛詐錢財，這並非為富不仁，而是有所為、有所不為。

物質上的不富足並不可怕，但我們千萬不要在心靈和思想上也貧窮。即使我們現在並不寬裕，那也要窮得坦蕩，窮得令人肅然起敬。有了對的思維，就可能跳出貧窮的牢籠，成為真正意義上的富人！

工作生活兩不誤，才是更值得嚮往的人生

心之小語

為了理想而打拚的我們，總是在追逐更好的表現、更棒的收入，但有時我們卻忘了初衷，其實只是想讓家人過更好一點的生活。更好一點，可以現在就開始。

努力實踐夢想很重要，但這並不表示我們在當下必須過著苦修般的生活。**認真工作、認真休息，有張有弛的日子才能走得長遠，也才不會把自己的衝勁都消耗殆盡。**

日前，我去拜訪一位舊友。他離職出來自己創業，現在已經有了一家自己的影視公司。我很羨慕他能經營自己的事業。公司規模雖然不大，三十多位員工，但租的辦公樓倒是挺豪華，五層的一個獨立小樓，年租金四十萬人民幣。

租金再加上水電、製作費用、員工薪水等等，其實也是一筆不小的支出，朋友說公司剛起步，

目前還是靠投資人支持，雖然現在還沒有像樣的作品，但是堅持做個五年，等公司上市，就有大筆的錢賺了！

我們聊了聊彼此的近況，朋友說，他為了事業忙裡忙外，看起來過得充實，其實總是不停被案子追趕著，每天像陀螺一樣停不下來，有時幾乎都忘了自己為何而忙。

想想也是，朋友都是奔五的人了，仍然沒有交往的對象，只養了兩隻狗，放假不是加班，就是遛狗。多年不見的他胖了許多，沒空運動影響了他的健康。他沒打算回老家去，反正熬下去吧！「說不定會有雲開霧散的那一天，」他說。

聊著聊著，從他的神情看得出來，他心底其實感到很疲憊。他每天早出晚歸，生活只剩下了工作，也不知道自己到底在追求什麼。或許是想等到自己賺大錢的那天，過上讓別人都讚歎的日子吧！

*

可是，忙忙碌碌，等著理想中的生活到來，到底要等到哪一天？或許那時候已經青春不再，壯志豪情也已消滅，被這個社會給磨得早就沒了夢想。

有些事情，我們現在不做，總想等著「以後某一天」做，但是「某一天」可能永遠不會到來。」要是為了工作投注所有心力，人生並不僅僅只有事業。

另一個朋友，他信奉活在當下！他工作同樣很努力，但他也合理安排了許多休息時間，並且盡情的遊玩。

同樣是自行創業，他平常在不同的城市工作，周末才回家和妻兒團聚。但他並沒有為了事業貢獻所有時間，他經常安排比較長的假期，帶全家人去許多地方：踏青、游泳等，夏天時全家出國了一個多月，讓孩子泡在國外的各種自然公園和博物館，認識這個世界的樣貌。

雖然他和妻子儲蓄不多，但他們享受著生命中每一刻，就算為事業拚搏，也從不忽略孩子成長的片刻。

*

其實，工作、生活兩不誤，工作上出色、生活上豐富多彩，那才是值得嚮往的人生！

我們還記得，辛辛苦苦到最後是為了什麼嗎？我們可以為了家庭、為了責任，但不要以犧牲自己為代價，也不要賠掉了生活中的美好。

活得自在、活得輕鬆，這樣我們才有更多動力創造自己的價值與財富，揮灑出自己的天地，人生才有意義！

回歸自我，平淡才是真

心之小語

很多人認為平淡的生活沒有激情，沒有鬥志，其實不然！其實平平淡淡的生活中，這分幸福才最真實。

在這個世上，我們有很多種活法，可以轟轟烈烈，也可以沒沒無聞。然而，當奮鬥的路走到最後，我們可能會發現，心中希冀的其實是平淡之中的美。

在我們的一生當中，有沉浮，也有坎坷，我們歡喜過，也悲痛過，當到了暮年，我們所追求的就不再是那種刺激的生活。見過大風大浪的我們，不會再動不動就大發脾氣、心緒不寧了。

在我們風華正茂的年紀裡，我們可能為了追求功名感到疲累、可能為人際的不友善而憤憤不平，可能為待遇不好而不滿，可能因為生活上不幸福再去追尋……這些都只是人生中的一個片段，到最後都會成為點點滴滴的回憶。

最終我們追求的，無非是一種平淡裡見真味的生活。因為所有繁華終將落幕，回歸自我，平淡才是真。

＊

葉主任在公司裡默默貢獻近二十年，是公司中最有經驗又樂於帶領後進的資深主管之一。但在高層內鬥的風暴下，葉主任不幸掃到颱風尾，還沒屆臨退休年齡，就被尋了個理由開除。

葉主任其實很生氣，多年的付出竟然換來這樣的結局。心灰之餘，葉主任離開了熟悉的產業界，回到老家蒔花弄草，過起了田園式的退休生活。

當然，葉主任是心有不甘，只是在職場上的拚搏，已經讓他筋疲力盡、心灰意冷。好在家人支持他，妻子找了許多事讓他有得好忙，孩子也勸他放寬心享受生活，葉主任的心情才漸漸淡定了下來。

偶爾，葉主任還會關心產業上的動態，但純粹是用觀察者的角度，不再像以前那樣上心。一年之後，高層內鬥告一段落，葉主任的老長官又邀他回鍋擔任重要職務。

葉主任笑了一笑，說：「我已經不喜歡那種你爭我奪的生活了，現在我過得很好，你們就不要再打擾我了！」看到現在的葉主任已經無心於此，老長官也只好放棄，讓葉主任去享受那一分自由自在的生活。

＊

我們奮鬥一輩子、辛苦一輩子，到最後會真正享受的，會是這樣回歸於平淡的生活。

但是，這並不表示在我們年紀尚輕時，就適合這種安於平淡的狀態。如果年輕力壯時無所追求，一輩子只會庸庸碌碌的度過。我們應該有所求有所不求，當將來老了的時候，才不會因為虛度光陰而流下後悔的眼淚。

曾經絢爛過，才能懂得平淡的美；就像喧囂過後，這分寧靜才特別美好。曾經追求過、奮鬥過，在最終我們選擇的平淡生活中，我們才能說一句「至少我都曾努力過」！

233

要成功你必須很故意

作　　者／子　陽
美術編輯／方麗卿
企畫選書人／賈俊國
責任編輯／黃　欣

總 編 輯／賈俊國
副總編輯／蘇士尹
編　　輯／高懿萩
行銷企畫／張莉滎・廖可筠・蕭羽猜

發 行 人／何飛鵬
法律顧問／元禾法律事務所王子文律師
出　　版／布克文化出版事業部
台北市中山區民生東路二段 141 號 8 樓
電話：(02)2500-7008 傳真：(02)2502-7676
Email：sbooker.service@cite.com.tw
發　　行／英屬蓋曼群島商家庭傳媒股份有限公司城邦分公司
台北市中山區民生東路二段 141 號 2 樓
書虫客服服務專線：(02)2500-7718；2500-7719
24 小時傳真專線：(02)2500-1990；2500-1991
劃撥帳號：19863813；戶名：書虫股份有限公司
讀者服務信箱：service@readingclub.com.tw
香港發行所／城邦（香港）出版集團有限公司
香港灣仔駱克道 193 號東超商業中心 1 樓
電話：+852-2508-6231　　傳真：+852-2578-9337
Email：hkcite@biznetvigator.com
馬新發行所／城邦（馬新）出版集團 Cit é (M) Sdn. Bhd.
41, Jalan Radin Anum, Bandar Baru Sri Petaling,
57000 Kuala Lumpur, Malaysia
電話：+603- 9057-8822　　傳真：+603- 9057-6622
Email：cite@cite.com.my
印　　刷／卡樂彩色製版印刷有限公司
初　　版／2019 年 09 月
售　　價／300 元
ISBN ／ 978-986-5405-06-9
城邦讀書花園 www.cite.com.tw 布克文化